新潮文庫

号泣する準備はできていた

江國香織著

新潮社版

7969

目次

号泣する準備はできていた

前進、もしくは前進のように思われるもの

リムジンバスに乗るのはひさしぶりだった。長坂弥生《やよい》は二日前に電話で座席を予約した。

「空港までは通常一時間半で着きますが、渋滞にまきこまれる恐れもありますから二時間から二時間半みていただく方がいいと思います」

電話口で係員に言われ、午前七時十五分のバスを予約した。アマンダの乗った飛行機が着くのは十時五分だから、これでちょうどいいだろうと思ったのだ。

四日間の有給をとるのは難しいことではなかった。実績さえあれば会社は認めてくれるものだ、と、弥生は考えている。学生時代に世話になったホームステイ先の娘が、夏休みを利用して日本に遊びに来るという。東京に滞在するあいだは、弥生が泊めてやることになった。

あのころたった二つだったアマンダが、もう十九になるという。

新宿駅西口から発車するそのバスはがらがらに空《す》いていて、弥生はいちばん後ろの窓際《まどぎわ》の席にすわった。窓枠に日ざしが反射してまぶしい。

ほんとうのことを言えば、他人を泊めたりできる状態ではなかった。弥生はため息をつき、目のまわりを軽くもんだ。自分の指がつめたく思えた。

ゆうべ、夫が猫を捨ててしまった。たっぷりと太った雑種の雌猫で、もう年をとっていたのに。弥生が文句を言いかけると、夫は横を向いてしまった。猫を捨てるなどという行為のために、傷ついたのは自分だとその顔が言っていた。暗い表情のまま、夫は弥生に背中を向けた。

猫は、夫の母親のものだった。彼女が入院することになり、三週間前に預かった。母親の入院が、夫を打ちのめしたことは間違いない。老人性痴呆症《ちほうしょう》と診断された彼女は、たった三週間で四人部屋のボスになり、鮮やかな黄色のひまわりがプリントされたパジャマを着てかつらを被《かぶ》り、ベッドにすわってテレビを観《み》ながら栗むしようかんを食べている。

「どこに捨てたの？」

弥生が訊《き》くと、

「海に投げた」

と、夫はこたえた。

「どこの海？」

さらに問うと、

「どこだっていいだろう」

と、不快そうに言い捨てた。嘘《うそ》に違いない、と弥生は思った。いくらこの人でも、猫を海に投げるなんていうことを、ほんとうにはするはずがない、と。でも、それからすぐに自信がなくなった。猫は現にいなくなっているのだし、夫に何ができて何ができないか、どうして自分にわかるだろう。

猫には、実際迷惑を被《こうむ》っていた。弥生はそもそも猫など好きではなかった。「ぎんなんちゃん」と夫の母親の名付けたその猫は、弥生にも夫にもなつこうとしなかった。ベッドの中や、洗いたての衣類の山の上に粗相をした。びっくりするほど大きなしゃがれ声で、十分以上も鳴きたてることもあった。

「探しに行かなきゃ」

弥生は言ったが、そのとき自分にその気があったのかどうか、弥生にははっきり思いだすことができない。

家の中は静かだった。

「どこに捨ててきたの？」

もう一度訊いたが、夫は返事をしなかった。

高速道路は空いていて、バスは快調に走った。

「早く着きすぎちゃうね」

ななめ前の座席にすわったカップルが、手をつなぎ合ったままそう言うのが聞こえた。

膝《ひざ》の上の鞄《かばん》から、弥生は封筒を取り出す。くせのある大文字の、青いボールペンで書かれた宛名《あてな》。裏には薔薇《ばら》の花のシールが貼《は》られている。アマンダの写真を取り出して眺める。二歳のころに会っただけなので、ほとんど初対面に近い。でもきっとすぐに見分けられるだろう、と、弥生は考える。鞄の中に封筒を戻し、窓の外を見る。

「どうして家に泊める必要がある？」

アマンダの母親から手紙をもらったとき、夫に話すとそう言われた。

「ホテルをとってやればいいじゃないか。その子だって、その方が気楽に決まってるさ」

そうかもしれない、と、弥生は思った。そして、それでもどうしても、これは断るわけにいかないことのように思えた。ケイト——というのがアマンダの母親の名前なのだが――は、弥生が娘を自宅に招くことを信じて疑っていないのだ。十七年前に、自分が二年間も弥生に部屋を提供したように。

無論、決して安いとは言えない額の下宿代を払ってはいたし、学生だった弥生はしばしば留守番や子守りをさせられた。でも、ケイトの頼みをきかないわけにはいかなかった。

「たった四日じゃないの」

弥生は夫に食い下がった。

「あなたは夜しか顔を合わせないんだし」

しまいには、

「これは名誉の問題なのよ」

とまで言っていた。名誉の問題。たしかにその通りなのだ。しかしその言葉の意味するものが、夫にわかってもらえたとは思えなかった。

まぶしい。

カーブした道から、海ごしに観覧車が見える。弥生は、腕を額にのせて日ざしを遮る。痩《や》せているのに、腕を重たいと感じた。左腕だからかもしれない、と考えて、弥生は苦笑する。左手首には夫と揃《そろ》いの高価な腕時計が巻きついており、薬指には結婚指輪とダイヤモンドが重ねづけされている。

大きなダイヤモンドだ。こういうものは大きい方がいいに決まっている、と、夫も弥生も考えている。野心。それこそが前へ前へ進む原動力なのだし、それを恥じる必要がどこにあるだろう。

でも、夫は猫を捨ててしまった。

弥生は夫を嫌いではなかった。いまも愛している、と言ってもよかった。自分より一回り年上の、体格のいい、陽気な男。外ではたいていスーツだが、家の中ではアロハシャツを好んで着る。手の甲に毛が生えていて、弥生はそれに触るのが好きだ。母子家庭で育ち、ずっと母親の自慢の息子だった男。弥生を、女らしい気分にさせてくれる男だ。

ゆうべ、弥生が風呂《ふろ》から上がると、夫はパソコンをあけて仕事をしていた。家の中は静かだった。

「そんな目で見るなよ」

弥生に背中を向けたまま、夫は低い声で言った。

「猫より人間の生活の方が大事だろう」

弥生には、でもそれは見知らぬ人間の背中に見えた。猫は毛なみがよかった。あしのうらがひんやりとしていた。

そうね、と弥生はこたえた。自分だって猫にはうんざりしていたのだ。夫を責める資格はない。台所でミルクティをつくり、夫に持っていった。

「もう眠った方がいいわ」

そう言ったが、夫の目を見ることはできなかった。

「どうしてそんな顔で見るんだ？」

再び言われ、つい甲走った声がでてしまった。

「見てないわ」

と。そのときには半ばあとずさっていた。腕を夫につかまれており、弥生は自分が夫を恐れていることに気づいた。

「あなたがどうしてそんなことをしたのかわからないわ」

それが、ゆうべ弥生が夫と交わした最後の会話だった。

かつて、弥生は夫といれば何だってできると思った。事実何だってした。スキーもダイビングも、プロレス観戦まで。二人で市民大学の講座を受けたこともある。夫が西洋史を、弥生が東洋史をそれぞれ受講した。

わからない、という感じがいつ芽生えたのか、弥生には上手《うま》く思いだせない。

半年前に、魅力的な男と出会った。男は弥生の同僚で、一歳年下だった。何度か二人で食事をし、酒を飲んだ。でもそれだけのことだった。会っていると楽しかった。子供のころの話や、互いにつきあってきた男たち、女たちの話などをした。それは危険なことに思えた。自分が夫に不貞を働いているような気がした。

「もう、こんなふうに二人で会うのはやめにしましょう」

それで、そう言った。男は呆《あき》れ顔をしてみせた。

「心外だな。勿論《もちろん》かまいませんよ。僕はあなたに下心なんて一切持っていないんだから」

あのときのことを思いだすと、弥生はいまでも不快なかなしみに囚《とら》われる。あんなことを言った男に対してではなく、あんなことを言われた自分に腹が立つのだ。

でも、齟齬《そご》はおそらくもっと前から生じていたのだ。いくつもの口論と、そのあとの和解。物事は何一つ解決されない。かなしいのは口論ではなく和解だと、いまでは弥生も知ってしまった。

大丈夫、きっと切り抜けるだろう。

座席に頭をもたせかけ、天井をにらんで弥生は考える。いままでだってそうしてきたではないか。前進、もしくは前進と思われることを。

予定より一時間も早く、バスは空港に着いてしまった。荷物を待つ人々を尻目《しりめ》に、弥生は身軽にターミナルビルに入る。寒いほどエアコンがきいている。人だかりのしたチェックインカウンターを迂回《うかい》して、いちばん最初に目についたコーヒーショップに入った。

アマンダのことを考える。

十九になるアマンダは、大学で物理学を学んでいるという。高校のときに一度交換留学で岐阜《ぎふ》に来たことがあるが、日本語は得意ではないらしい。

十九歳。弥生には、それはついこのあいだのことに思える。学生で、経済を専攻していた。アルバイトを通じて知り合った、同い年の男とつきあっていた。小林くん、というのが彼の名前だった。小林くんは早く結婚をしたがっていた。弥生をしょっちゅう家に招き、「おふくろ」と一緒に台所に立たせたがった。小林くんはいい子だった。弥生はしみじみそう思う。人混みを歩くとき、かばうように弥生の背中に手をまわしてくれた。茶碗《ちゃわん》むしが好物だった。

「何が食べたい？」

弥生がそう訊くたびに、

「茶碗むし」

とこたえるのだった。

それから成美《なるみ》がいた。成美は高校時代からの親友で、二人で一緒に耳にピアスの穴をあけた。一緒に夜遊びをし、下着までお揃いにしていた。成美は、いつもカメラを持ち歩いていた。人の耳たぶとかくるぶしとか、変なものばかりアップで撮りたがった。カメラマンになりたいと言っていたが、化粧品のセールスレディになってしまった。

大学を卒業し、弥生は二年間イギリスの大学院に通った。帰国して就職し、夫と出会った。夫は陽気な男だった。すくなくとも弥生にはそう見えた。熊《くま》みたいに太い腕で、弥生をがっしり抱きとめてくれた。

言うまでもなく、夫には夫の人生があった。仲間やら家族やら女たちやら。

結婚したばかりのころ、ニムラという名前の女から、たびたび電話がかかった。女は電話口で涙声をだし、結婚するのは自分のはずだったと言った。夫は、昔の女だと説明した。もう別れた、と。だから弥生は女に言ってやった。

「遊びにいらっしゃれば？　お会いしたいわ」

女は挑発に乗らなかった。電話はかからなくなった。

「あなたのことがわからないわ」

あのときも弥生は夫にそう言った。

「なぜすべてわかろうとする？」

穏やかとも言える口調で、夫はそう言った。

前進、もしくは前進と思われるもの。

会社では、弥生も夫もそれなりの地位と報酬を得ている。郊外に家と車を持ち、子供は無く、猫もいない。

猫。

注文した紅茶とケーキが運ばれ、弥生はあの猫の姿を頭の中から追い払おうとする。紅茶を啜《すす》り、ケーキを一切れ切って口に入れる。フォークを置き、皿を奥に押しやった。一体何だってケーキなんか注文してしまったのだろう。ぱさついて不味《まず》いことはわかりそうなものなのに。

猫は首に鈴をつけていた。たいてい部屋の隅で不安そうにうずくまっていたが、「ぎんなんちゃん」と声をかけると、ときおり頭を上げてこちらを見た。鈴が小さな音をたてる。あの子はいま、ほんとうに水の中なのだろうか。

問題は、と、腕時計を一瞥《いちべつ》して弥生は考える。問題は、でも猫の所在ではない。それが嘘だと、たしかには信じられないことなのだ。あの人にそんなことができるはずがない、と、かつての自分なら思っただろうに。

搭乗を促すアナウンスがひっきりなしに流れている。紅茶はぬるく、煮えてしなびたレモンの酸味ばかりが口に残った。

そろそろ到着ロビーに行っている方がいい。弥生は伝票をとって立ち上がる。

背すじをのばし、頭を上げて足早に歩く。これは、もう随分ながいこと弥生の習慣になっている。自信のある、みちたりた女に見えるように。

週末には夫の母親を見舞わなくてはならない。夫はまた行きたがらないかもしれない。

「見たくないんだ」

そう言って、弥生に山のような手土産を持たせるだろう。ようかんとか香水とか、CDデッキとかCDとか、花とか雑誌とかネグリジェとか。

その前にアマンダのことがある。アマンダに泊ってもらうことは、すくなくともケイトには感謝されている。

名誉の問題。弥生は夫にそう説明したのだ。

到着ロビーは混雑していた。出発ロビーとは全然違う気配だ、と、弥生は思う。人待ち顔の、疲れたような表情の人々。トランクを転がして、ガラスの向う側からふいに吐き出されてくる日にやけた人々。大きなカートや、免税店の袋や、荷物のように抱えられた子供や。たくさんの携帯電話。再会や、すれ違いや。

弥生は人混みからすこし離れた場所に立った。標示板によれば、アマンダを乗せた飛行機はたった今着陸したところだ。

白いシャツに紺色のパンツ、素足にうす茶色のモカシン。弥生はガラス戸で自分の全身を確認する。仕事にも私生活にも汲々《きゅうきゅう》とした、四十女にしては悪くない。濃いめにマスカラと口紅をつけてあるので、笑顔はくっきりと見えるだろう。

アマンダには、一階の和室を使ってもらうつもりだった。掃除をし、布団《ふとん》も乾燥機をかけてふくらませてある。タオルとマグカップは新品を用意した。かつてケイトがしてくれたように。

アマンダの姿は、すぐにわかった。写真のとおり色の白い、頰のふっくらしたかわいい娘だった。十七年。弥生は首を振る。アマンダの方でも、弥生を見分けたようだった。弥生が両手をひろげると、はにかんだような笑みを浮かべて、頰をつける挨拶《あいさつ》に応じた。

「私が会ったときには、まだほんの赤ちゃんだったのに」

弥生の目に、娘はあまりケイトに似ていないように映った。白いポロシャツにピンクのコットンセーター。小さなボストンバッグを一つだけ提げて、くちゃくちゃとガムをかんでいる。

奇妙なことだが、それは弥生に、かつての自分自身を思いださせた。あるいは友人の誰彼を。アマンダのまとっている気配は、かつてたしかに自分たちのものだった。

「聞いて」

アマンダは言った。

「こちらはジェレミー、こちらはミセス長坂」

見ると、アマンダの横に、黒いTシャツを着た背の高い青年が立っている。

「そして」

くちゃくちゃとガムをかんだまま、アマンダはそれを、「アーンド」と発音した。

その場で足元のボストンバッグをあけ、茶色い紙袋をとりだす。

「これはママから」

事情がのみこめずにいる弥生に、アマンダは首をすくめ、それでもすまなさそうに、

「ここまで来ていただいちゃってごめんなさい」

と、辛うじて謝った。

「でも私たち、ちゃんとホテルを予約してありますから」

そう言って胸を張り、髪を耳にかけて連れの男と手をつなぎ、頬を上気させて笑みを浮かべる。まだ子供じみた体型をしていた。

「ママには私から電話します」

アマンダはきっぱりと言い、

「だから、その、おわかりでしょう?」

と、困ったように言葉をにごす。

弥生は笑いだしそうになった。笑って、かつて赤ん坊だった目の前の娘に、ええ、わかるわ、と言いたくてたまらなくなった。それはほとんど抗《あらが》いがたい衝動だった。そのあと二人と握手をして、ちゃんとお母さんに電話するのよ、とか、いい休暇をね、とか、言ってやるべきだったのだろう。

「ゆうべ、夫が猫を捨ててしまったの」

かわりに弥生はそう言った。

「勿論あなた方には関係のないことだけれど、それは夫のお母さんの猫だったのよ」

アマンダはびっくりした顔になる。弥生はにっこりと微笑《ほほえ》む。マスカラと口紅をくっきりつけた顔で。

そしてターミナルビルをあとにする。太陽が真上から照りつけている。くしゃくしゃの紙袋の中をのぞくと、ハーブティが入っているのが見えた。
すがすがしい、と思えるような心持ちで、弥生は空港をあとにする。

じゃこじゃこのビスケット

その夏、私は十七になったばかりだった。たしかに若かったが、若いことは愉快なことではなかった。私には七つ歳上《としうえ》の兄と四つ歳上の姉がいて、する価値のあること、大人の度肝を抜くようなこと、は、みんな彼らが先にやってしまったと思っていた。残っているのはじゃこじゃこのビスケットみたいなものばかりだ、と。

じゃこじゃこのビスケット、は母の考えた言いまわしで、削ったココナッツだの砕いたアーモンドだの、干した果物のかけらだのが入ったビスケットのことだ。舌触りが悪く、混乱した味がするので、我家の人間はみんな嫌っていた。到来物の詰合せのなかで、だからそれらは最後まで残る。

父は大学の教員をしていた。母はどこにも勤めていなかったが、洋裁が得意で、ときどき頼まれて内職のようなことをしていた。階段の踊り場に置かれたミシンと、様々な色柄の布。

私は都心にある女子校に通っていた。体育の授業に薙刀《なぎなた》のある、古くさくも麗《うるわ》しい学校だった。私が十七になったその夏、兄も姉もすでに家にはいなかった。人生を外へ外へ開拓しようとする、たくましい子供たちだったのだ。現在二児の父となって喫茶店を経営している兄は、当時定職についておらず、アルバイトをしながら放浪し、家には寄りつかなかった。のちに歯医者となる姉は、北海道で大学生活を送っていた。そこで知りあった男と結婚し、いまも北海道で暮らしている。問題児だった兄や優等生だった姉と違って、私は退屈な娘だった。

家の中には、両親と私の他に、シナがいた。シナはメスのスコッチテリヤで、歯槽《しそう》膿漏《のうろう》の上に慢性の耳炎に悩まされており、口も耳もひどく臭《にお》った。十五歳のシナは、よぼよぼだった。兄と姉に置いてきぼりにされた、という点で、私はシナと自分を同類だと思っていた。

二階に上がったすぐ左側が私の部屋で、そこには本やレコードや安物の化粧品や、その年頃の娘の部屋にありそうなものがすべてあった。壁にはドライフラワーまでぶらさげてあった。

「頭の悪い女の子の部屋ね」

姉に、よくそう言われたものだ。

私は十七年間おなじ町に住んでいた。東京のはずれの、私鉄電車の走る小さな町で、都会でも田園でもなく、年を追うごとに人口だけが過密になっていく類《たぐい》の、駅前だけが繁華でその奥は住宅と田畑、という場所だった。いまはない、緑色の鈍行列車がまだ走っていて、それはガタゴトと揺れる上に、車内が油臭い列車だった。

蒸し暑い夏だった。

河村寛人《ひろと》は精肉店の息子で、小学校のときの同級生だった。高校には進学せず、父親の店を手伝っていた。身体《からだ》つきのがっしりした男の子で、男女別々に遊ぶのが普通だった小学生のころから、男女を問わず気持ちよく接してくれる、めずらしい存在だった。目のふちに小さな傷があり、それは「遊びに来た従兄《いとこ》が本物の手裏剣を持っていて、それをぶつけられてできた傷」なのだ、と、誰かに訊《き》かれるたびに丁寧に説明する少年だった。

「ねえ、どこかに行こうよ」

午後遅く、商店街の一角で彼の揚げるコロッケを買い、その場でかじりながら私は言った。

「仕事がお休みの日っていつなの？」

コロッケは熱く、黄色い紙の袋にてんてんと油がしみてくる。

「構わないけど、どこに行くの？」

顔じゅうに汗の玉をくっつけて、寛人はこたえた。長い、先の黒くなった菜箸《さいばし》で、大きな鍋《なべ》の中のコロッケを泳がせている。

「ドライブがいい。お父さんの車、借りられるんでしょう？」

私と同い年の寛人は、無論運転免許を持っていなかった。それでもときどき店の車を運転していたし、お酒の好きなお父さんに呼ばれて、バーから家まで代りに運転して帰ることがあるのを近所の誰もが知っていた。

「無理だよ。免許のある人と一緒でなきゃ」

「平気よ。アクセルを踏めば自動的に動いて、ブレーキを踏めば自動的に止るんでしょ、車なんて。寛人はいつも乗ってるじゃないの」

車のことなど知りもしないのに、私はそう言って彼をたきつけた。

「助手席で地図を見る役をしてあげるから」

どういう理由によるものかはわからないのだが、私は河村寛人に対してだけ、強気の物言いができた。

中学校を卒業して以来、私はときどき精肉店に遊びに行った。といっても、コロッケを揚げる鍋や肉のならんだショウケースをはさんで、こんなふうに話すだけなのだが。

私の住んでいた家は駅の南側にあり、寛人の働いている店は北側にあった。それで、彼に会うにはいつも踏切りを渡った。かんかんとけたたましい音のする踏切り。すぐそばに鰻屋《うなぎや》があって、踏切りの周辺は、鰻を焼くけむりと匂《にお》いがたちこめていた。

家の中で、私は家族にブウちゃんと呼ばれていた。ぽっちゃりした赤ん坊だったから、というのがその理由だ。いま思えばあまり有難くない呼び名だが、ずっとそう呼ばれていたせいであまりにも自然で、私自身には抵抗はなかった。また、我家ではブドウのこともブウちゃんと呼びならわしており、私はブドウを何か親しいもののように思っていた。誰かに手紙を書けば、署名のあとにブドウの絵をかいた。自分のトレードマークか何かみたいに。

ベッドカヴァーは小さなブドウの散った柄（母の手製）だったし、父とデパートに行ってみつけた、ブドウの絵のついた素焼きのマグカップは、いまでも使っているくらいだ。

ブウちゃんと呼ばれていた当時の私の愛読書は、何といっても「ジャングルブック」だった。ずっと枕元《まくらもと》に置いていて、寝る前に手にとって拾い読みをするか、手にとらないまでも目の隅で必ず表紙を眺めた。

そんなふうだったので、女子校の友人たちは、私の目に、一様に大人びて映った。大人びて活発に、女っぽく進歩的に。

彼女たちのうちの何人かは、大学生とつきあっていた。本格的につきあってはいない場合でも、図書館やそのそばの公園や、カフェや、当時流行していたサーフショップなどで顔見知りになり、会えば話す程度の人脈はつくっていた。

私にはそういう人脈も、ましてや恋人もなかった。

とはいえ、ときどき彼女たちに誘われて、そういう集りに顔をだすことはあった。素人《しろうと》くさいバンドのライブをみに行ったり、数学を教えてもらうという名目でグループで図書館に行ったり、放課後の街でマイタイという名前の不味《まず》いカクテルをのんだりした。

そういう交友関係の中で、可愛《かわい》いとか恰好《かっこう》いいとか、気が合うとか話が合うとかいうことになればまあつまり「万歳」なのだった。

ドライブに行かれる、ということが、彼女たちが大学生とつきあいたがる理由の一つだったので、相手はお金持ちの学生でなくてはならなかった。小さな毛糸のキャップをかぶっていたり、外国製のシャツを着ていたりする男の子たちだ。彼らは例外なく親切で頭が悪く見えた。ファストフード屋ではなくアルコールをだすカフェを好んだが、酒に強くはなかった。テニスよりゴルフが、水泳よりスキーが、得意であるらしかった。そして、例外なく家族の仲がよかった。

「真由美《まゆみ》ちゃんって、趣味は何なの？」

男の子たちはよく質問をした。音楽はどういうものを聴くの？　休みの日は何してるの？　どの質問にも、私ははかばかしいこたえを返せなかった。べつに、とか、何でも聴くよ、とか、何かなあ、とか。そして、私には、自分に話しかけたことを相手が後悔していることがわかり、ますますいたたまれなくなるのだった。

じゃこじゃこのビスケット。

彼らといるときも、私はしばしばそう思ったものだ。

私はそのころからお酒に強かったけれども、男の子の前ではあまりのまないようにしていた。男の子はお酒をのむ女が嫌いなのだと信じ込んでいたからだ。信じ込んでいたことは他にもいろいろある。男の子の好む香水はフィジーかジョイで、ムスクでは遊び人に思われる、ということとか。

私は彼らに好かれたかったのだ。親切で、頭が悪そうにみえる男の子たちに。肉体関係を持つとき、相手が処女だと男の子は恐がる、というのも、私が信じ込んでいたことの一つだ。だからほんとうに好きな男の人と出会う前に、その人のために何とかして処女を捨てておかなければならない、と考えていたし、私にとってそれはむしろ貞操観念に近いものだった。

その朝私は、河村寛人とのドライブにシナを連れていくことを思いついた。約束どおり午前八時に迎えに来てくれた彼の車のクラクションが鳴ったとき、私は二階の自分の部屋で、短くてまっすぐな自分のまつ毛をなんとかビューラーで上に向けようと努力していた。ジーンズに、ブドウ柄のブラウス（母の手製）というのが、その日のために私の選んだ服装だった。ブラウスのブドウ柄に合わせて、紫色の口紅も塗ったので、たぶん不健康な、へんな顔だっただろう。

私は階段を駆けおりて、いつもの場所――というのは居間のソファの下なのだが――で眠っているシナをひっぱりだし、あちこちほつれたぼろバスタオルにくるんで抱きかかえた。

磨き上げたみたいな、まぶしくて青い空だった。

「きょうも暑くなるわよ。帽子は持ったの？」

玄関に立ち、腕で日ざしを遮りながら母が言った。空気の一粒ずつが、光を含んでぴかぴか光っているみたいだった。

私の家は狭い袋小路の一角に建っていたので、門の前に停った車はやけに目立った。それは寛人のお父さんの車ではなく、シゲタさんという、店の従業員の車だった。シゲタさんの車は紺色でボロで、エアコンがついていないので、寛人はコロッケを揚げているときみたいに汗ばんだ赤い顔をしていた。

ドライブは最悪といってよかった。

ともかく暑かったし、車の中は妙な匂いがした。埃《ほこり》っぽいような、ずっと洗っていない衣類のような。寛人はしゃちこばって運転しながら、

「いまの標識はどういう意味かな」

とか、

「いまのパッシングかな」

とか、

「変な音がしないか？」

とか、始終気にしていた。汗が目に入る、と言うので、しまいには拭《ふ》いてあげなく

てはならなかった。手が汗ですべる、と言われても、ハンドルから一瞬たりとも手をはなせないので、それは拭いてあげられなかったけれども。

車にはラジオがついていたのに、ラジオをかけると気が散る、と寛人が言うのでかけられなかった。話しかけるのも気がひけて、私は地図ばかり見ていた。

自分でまいた種だとは思わず、私のすることはいつも妙な結果になる、とだけ、つまらない気持ちで思っていた。寛人の運転を恐いとは思わなかった。男の人はみんな運転ができるものだと、信じ込んでいたのだ。

シナは車に酔い、後部座席で二度吐いた。私はシナを膝《ひざ》にのせ、首やあごをかいてやりながら、小声であやし続けた。車内の温度はどんどん上がり、母に手伝ってもらって作ってきたお弁当の匂いが充満していた。

そういうわけで、目的地の海――ドライブといえば海に行くものと、私は思い込んでいた――についたときには二人ともへとへとだった。不機嫌で、互いに黙りこくっていた。天気だけがあいかわらずよかった。

私は、ともかく早く車から降りたかった。ガードレールのある、高台の路肩に車を停め、寛人は大きく息を吐いた。ジーンズのポケットからくしゃくしゃのハイライトをとりだして、一本くわえて深々と喫《す》った。怒っているような横顔に見えた。

海岸は混雑していた。泳ぐつもりではなかったので、それはべつにかまわなかった。色とりどりの、水着や敷きものやビーチバッグやビーチパラソルや。人々の歓声が――ほんとうにきゃあきゃあとかわあわあとか聞こえるのはどういうわけだろう。誰もそうは発音していないだろうに――、ぴかぴかの空に吸い込まれていく。

私は一人で車を降りた。潮のべたついた匂いよりも、日ざしにあたためられたアスファルトの匂いの方が強かったように思う。風にのって、ココナッツオイルの甘ったるい匂いもただよってきた。ガードレールごしに見下ろす海岸の光景は、まぶしくて退屈だった。すこし先に停めてある車から、騒々しい音楽が流れていた。

「降りないの?」

運転席にすわったまま、ドアをあけ放して煙草《たばこ》を喫っている寛人の方をふり向いて私は言った。

「降りるよ」

がさついた低い声で言い、寛人は煙草を道に捨てると、片足だけだしてそれを踏んだ。

帰り道のことは考えたくなかった。私はもう車に乗りたくなかった。

シナも降ろして、車のまわりをぶらぶらと歩いた。シナは途中でへたり込み、もう歩くのはいやだと主張した。

「あの人たち、楽しいのかなあ」

泳いだり寝そべったりしている人たちを眺めながら、半ばひとりごとのように私は言った。

「楽しいんじゃないの」

「そうかなあ」

私には、楽しくなさそうに思えた。というより、楽しい道理がないように思えた。日陰に車を移動させ、そのすぐ横でお弁当を食べた。お弁当はいかにも少女趣味でみすぼらしかった。おまけにわびしい味がした。お弁当を食べてしまうと、もうすることがなかった。

私たちは水辺に下りることにした。コンクリートでできた狭い階段があり、貝や鳥のフンや干からびた海草や、ロープのきれはしがからまりあってこびりついている。砂は黒々と濡《ぬ》れていた。歩くと靴の裏にくっついて足を重くするあの砂。「浜千鳥」とか「うみ」とか、聴く度に淋《さび》しさに身動きできなくなった童謡に歌われる海そのものの、あの黒い重たい砂。外国の写真集にでてくるような白砂のあかるい浜というものを、そのころの私は、まだ一度も見たことがなかった。

シナはいやいや歩いていた。寛人が黙って私の手をつかみ、私はふり払いもしなかったので、手をつないで歩く恰好になった。寛人の手はあたたかく、汗ばんでいた。私は緊張した。手をつなぐのは、心浮きたつことではなかった。息苦しく、窮屈なことだった。早く解放されたかった。そうして、それでいて、私は寛人に、手を放してほしくなかった。

人の少い岩場に向かって、私たちは歩いた。太陽は世界全部をかんかんに照らしていた。自分の呼吸音と、靴底が砂を踏む音が、耳についた。

海は灰青色をしていた。水はまるで澄んでおらず、濁って重たげに見えた。しかし、近くで見ると、とても信じられないほど光っていた。いちめんに、光っていた。しかもその光はつねに揺れてはじけ、また生れることをくり返しているのだった。小さな、無数のさざ波のひとつひとつ。とがった、鋭いかたちの反射のひとつひとつ。

「もういい。シナがばてて、また吐いちゃうよ」

まぶしさと沈黙と、包まれた右手の息苦しさに耐えかねて、私はそう言って立ちどまった。

「ああ、空気いいな」

心からの口調で寛人が言い、その瞬間、私は救われた気がした。目を閉じても、無数の光は消えなかった。歓声も音楽もあいかわらず聞こえていたが、それらは遠く、もう耳障《みみざわ》りではなかった。頭のてっぺんが熱く、私は自分の手足や身体の重みを、心地いいものとして感じた。ささやかで現実的ななにかとして。

帰りは手はつながなかった。シナを抱いて黙々と歩いた。まだ真昼といっていい時間だったが、私たちはそのまま車に乗って、来た道をひき返した。運転する寛人は、やはり不安気だった。二度道に迷った。今度もラジオはかけなかった。寛人の目のふちの傷が、赤くふくらんでいるように思えた。

結局のところ、何もかもそれほど楽しくはなかった。私たちには、することも話すこともなかった。寛人と二人でどこかにでかけたのは、その一日だけになった。

その後私は大学に行き、友達ができ、恋人もできた。ドライブにも度々でかけた。もう、世界はじゃこじゃこのビスケットのようではなかった。

「私、子供のころブウちゃんって呼ばれてたのよ」

たとえば夫に、そう言ってみることがある。

「十七歳のとき、はじめて男の子とデートをしたの」

でも、それは、そう言葉にした瞬間に、私の言いたかったこと——言ってみようとしたこと、どうでもいい、あるいはどうしようもなかった日々のこと——とは違う何かになってしまう。

何ひとつ、ちっとも愉快ではなかった。美しくもなく、やさしくもなかった。それでも思いだすのは、あの夏の日のことだ。やけに天気がよかったことと、自分が不機嫌な娘だったこと。精肉店で働いていた河村寛人。紫の口紅。でたらめばかり信じる十七歳だったこと。

熱帯夜

秋美《あきみ》が仕事から帰ったとき、私はいつものように粘土をこねていた。粘土で、ほとんどオブジェのような人形をつくることが私の仕事だ。

「お帰りなさい」

作業台の前に坐《すわ》り、手を動かしたまま私は言い、全身で秋美の気配を味わう。ただいま、と言って、秋美は私の頭のてっぺんに唇をつける。秋美は外気の匂《にお》いがする。

「外は暑いわ。いい日だった？」

身体《からだ》をひねって唇を返し、まあまあ、と、私はこたえる。冷房でつめたくなった私の肌に、秋美の汗がすこしだけくっつく。

共通の友人の家でひらかれたパーティで秋美と出会って三年、一緒に暮らし始めて一年になる。私は秋美を、秋美は私を、たぶん自分自身以上に愛している。

「きょうはごはんどうする？　外で食べる？」

私たちはよく外食をする。

「あんまり食欲がないの」

私は言ったが、秋美が心配することはわかりきっていたので、これは子供じみたふるまいと言うべきだろう。

「お昼は何を食べたの？」

「桃」

と、私はこたえた。秋美は口をひき結んでみせる。

「だめよ、ちゃんと食べなきゃ。ねえ、焼肉はどう？　私たち、肉食なの憶《おぼ》えてるでしょう？」

「勘弁して」

秋美は首をすくめた。長い髪をじゃまそうに後ろに払いのける。そしてシャワーを浴びに行ってしまう。

私は仕事中つけっぱなしにしておく習慣のCD——きょうはリッキー・リー・ジョーンズを聴いていた——を切り、秋美の鞄《かばん》を眺める。家の中に秋美のいる時間が、私はほんとうに好きだ。彼女が仕事になど行かなければいいのに、と思う。お風呂場《ふろば》から、威勢のいい水音が聞こえている。

結局、私たちは夕食を家で簡単に済ませて、近所のバーにビールを飲みにでかけた。秋美がそうしたいと主張したからだ。

私たちの住居兼私の仕事場である小さなマンションは、古い住宅街の中にある。でも十分も歩けば繁華な道にでて、そこにはバーがたくさんある。バーと、中古レコード屋と、焼肉屋の多い街だ。夜の始まったばかりの、まだ群青色《ぐんじょういろ》の空の下を、私と秋美はならんで歩いた。銭湯やら百円ショップやらのならぶ、駅に続く商店街を。

「歌、うたう？」

秋美が訊《き》き、私は、

「うたわない」

とこたえた。秋美は歩きながら歌をうたうのが好きだ。子供のころ、黙々と歩くのは修業みたいで苦痛で、うたいながら歩くと目的地に早く着くことを「発見」したそうだ。それ以来歩きながら歌うのが好きになった、と、いつだったか話してくれた。

私と秋美は知りあってまだ三年だけれど、互いの過去を、随分こまかく知っている。生れた土地や家族のこと、好きだったこと嫌いだったこと、髪型や服の変遷《へんせん》や、友人の一人一人や、旅した場所や、ありとあらゆることを話しあった。とるにたりない、でも確かに私もそこにいたと感じる、孤独な磁場が引きあうみたいに強くつながったことども。

三年前のあの日に、私は五歳の秋美とも、十七歳の秋美とも出会ったのだ、と、思う。無論秋美も七歳の私や二十歳の私を歓迎してくれた。よく来たわね。たぶん、そんなふうに言って。

狭くて暗い、お酒の種類の豊富なバーを、私たちは選んだ。カウンター席にならんで腰掛けて、それぞれビールを注文する。私たちは二人ともビールが好きだ。夜、食事のあとに飲むビールは、とくに。

「それでね」

さっきから、秋美は浅井一家の話をしている。浅井一家は秋美の働いているモーターサイクル店のオーナーで、夫も妻も、小学生の息子も「おもしろくて感じがいい」らしい。妻の勘違いだの夫婦喧嘩《げんか》だの、息子の担任の家庭訪問だの、そこでは毎日何かしら事件があって、秋美にはそれが微笑《ほほえ》ましいらしい。夫婦揃《そろ》って矢沢永吉のファンで、レジの横に大きなポスターを貼《は》っているという。

秋美自身もオートバイに乗る。ときどき私をうしろに乗せて、夜の高速道路なんかを走ってくれる。私たちはお揃いのヘルメットを持っていて、それは白地に赤い柄のついたものだ。

「乾杯」

ビールが運ばれ、私たちは小さくグラスを合わせる。秋美はシャワーのあとなので、何の化粧もしていない。白い、しっとりした、赤ちゃんみたいな顔。長い髪は、まだすこし湿っている。

暗い店の中で、秋美だけはいきいきと快活で美しく、私は秋美の存在に対する感謝で胸がいっぱいになる。ずっとこのままここで、彼女を見ていたい、と思う。

「で?」

秋美はスツールをまわし、私にまっすぐ向き直ると、愉《たの》しそうな目つきをした。

「言ってごらんなさい。何が不満なの?」

片方の肘《ひじ》をカウンターにつき、その手で頭を支えている。とてもほんとうとは思えないくらい、特別できれいだ。

「何も」

私は微笑んでこたえて、

「あるいは、何もかも」

と言い換える。

「だって、私たち行き止まりにいるのよ」

心情を吐露したのに、私の声はゆったりと落ち着いていて、甘やかな囁《ささや》きにさえ聞こえる。行き止まり。実際、私たちは行き止まりにいるのだ。どんなに愛し合っていても、これ以上前に進むことはできない。たとえば結婚も離婚もなく、たとえば妊娠も堕胎もない。望みはみんな叶《かな》ってしまったし、でも私はもっともっと秋美がほしい。誰にも秋美を見られたくないし、秋美にも私だけ見ていてほしい。

秋美は喉《のど》の奥で笑い声をたて、

「千花《ちか》ちゃんはばかね」

と言った。

「大好き」

と言って、

「あいしてる」

と言って、私の膝《ひざ》に手を置いてすばやく体重を移し、唇にまっすぐ力強くキスをした。つめたくてやわらかい唇。

「こんなに一緒にいるじゃない」

私たちは見つめあう。見つめあったまま、私は、

「知ってるわ」

と、こたえた。こたえても、まだどちらも視線をそらさない。あいしてるあいしてるあいしてる、と、秋美が目だけで伝えて寄越す。臆面《おくめん》もなく、きちんと。私が嬉《うれ》しくなって笑いだすのを待っているのだ。そして、そのとおりに私は笑いだしてしまう。秋美は満足してビールを啜《すす》る。グラスの上から、まだ私を見つめながら。そして、

「ビールって、つめたいのもおいしいけど少しぬるくなったのもおいしいと思わない？　夜おそくに飲むときはとくに」

と言う。

「東京の夜の空気に似た舌ざわりがする」

と。

「私、千花ちゃんの短い髪が好きよ」

秋美は言い、私のうなじのあたりの髪をくしゃくしゃとこする。

「細くてきっちりした身体も、そのわりには大きなおっぱいも、物の考え方も、仕事をしてるときの後ろ姿も」

「やめて」

恥かしくなって私はさえぎる。

「それ以上の甘い言葉は、記念日にとっておいて」

聞いて、と言って、秋美は続ける。

「でもね、いつか千花ちゃんが年をとっても、髪の毛がどうなっても、太っても、逆におっぱいがしぼんでも、やっぱりその千花ちゃんが好きよ」

私がその言葉を十分に理解するようにまをあけて、

「それでも不満？」

と、秋美は訊いた。

「いいえ」

私は即答し、途端に何かを見失ったようでもどかしく、

「ちがうの」

と、言った。息をすって、息を吐く。そして、何とか説明しようとする。

「たとえばいま大地震が起きて、私とあなた以外全員死んでしまうの。私とあなたしか残らないの。そうだったらいいのに」

秋美はきょとんとする。

「全員？」

「そうよ。私たちの親兄弟も、友だちも、陽子ちゃんも、ここのマスターも、あっちに坐ってるお客さんも、浅井一家も、みんな」

陽子ちゃんというのは私たちを引きあわせてくれた友人の名前だ。秋美はそれについてしばらく考え、

「構わないわよ」

と言った。

「私はそうなっても構わないわ」

と。

「嘘《うそ》」

私は言い、でもそれがある意味で——というのは、いま、ここで——、まじりけのない本当だとわかっている。それでまた、行き止まりだ、と、思う。

あいしてる、と、先に言ってくれたのは秋美だった。陽子ちゃんの家で出会って翌日また会って、一日空けてまたその翌日に会って、その翌日、くらいのことだ。私には当時別の恋人がいた。でも秋美に会いたくてたまらなくて、会うとたのしくて、自分たちを自由だと思えた。世界の外側にでられたと思った。

学生時代に、何度か男性とデートをしたことがある。でもその後は、私の信頼も情熱も、男性には向けられたことがない。

秋美のストーリーは全然違った。秋美にはもはや「性差なんてない」のだという。

彼女にはかつて数年だけ結婚していた経験があるし、男性も素敵だと言う。でもいまは私がいちばん好きなのだ、と、言う。私たちが持っているものは、いつも「いま」なのだ。

「ねえ」

つきだしのピーナツをつまみながら秋美が言った。

「沖縄のこと、憶えてる？」

「勿論《もちろん》」

私はこたえ、私たちは見つめあった。何となくそうしたくなり、再びグラスを小さく合わせる。

「私たち、世界の外側にいたわね」

圧倒的な自由と幸福を思いだし、くすくす笑いながら私は言った。

「千花ちゃん、はじめは行きたがらなかったのよね」

「だって背信行為だもの」

依然として微笑みながら私は言い、あのときのあれはまぎれもなく背信行為だったのに、それさえいまは笑って話せるという現実に自分でおどろく。人が一所《ひとところ》にとどまっていられない——愛においてさえ——というのは、何て残酷なことだろう。

「私たち、肉をたくさん食べたわね」

「肉食だったから」

そして思うさま愛を交わした。

「あのときもビールをのんだわね」

「レストランでも、バーでも、夜の浜辺でも」

「あのバー、小屋だったわね。茅《かや》だか藁《わら》だかバナナの葉だか知らないけど、ともかく植物で屋根を葺《ふ》いてあった。地元の青年みたいなひとが、一人でシェイカーをふってた」

「憶えてるわ」

秋美が大胆に胸のくれたドレスを着ていて、その「地元の青年みたいな」バーテンが、しきりに話しかけてきた。場所柄肌を露出した女は他にもいたが、秋美の優雅さは際立《きわだ》っていた。

「あのときね、私、自分が千花ちゃんと一緒にいることがすごく誇らしかった。千花ちゃんはあの土地にすごくよく似合った。動物みたいだったもの。清潔で誠実な動物」

秋美がふいに黙ったので、たぶん私とおなじことを思いだしているのだろうと思った。ホテルに帰ってからのことを。

「聞いて」

ややあって、秋美は言った。

「あのときと、なんにも変わっていないわ」

私はたぶん幸せなのだろう。このひとと出会い、このひとと暮らしている。沖縄で拾った貝殻や珊瑚《さんご》は、いまも私の仕事部屋に置いてある。

「私は千花ちゃんがとても好きよ。もう、フンダンにあいしてると言っていいわ」

でも、と言ったら泣きそうになった。あわててビールをのみほし、三杯目を注文する。

「でも、なあに」

私は首を横にふり、自尊心と羞恥心《しゅうちしん》を全力で取り戻し、

「なんでもないわ」

と、こたえる。大地震をおこして世界中を皆殺しにすることができないのなら、考えても無駄だ。世界の中で、やっていくしかない。

「人生は恋愛の敵よ」

私は、最後にひとことだけ秋美に釘《くぎ》をさす。

「何のことだかわからないでしょうけど」

秋美は笑わなかった。きょとんともしていない。

「わかるわ」

と言って、スツールから降りた。

「じっとしてて」

私のうしろに立ち、背中を抱きしめて肩ごしに頬と頬をつける。

「人生は危険よ。そこには時間が流れてるし、他人がいるもの。男も女も犬も子供も」

しずかな声で囁かれ、私は根拠もなく安心してしまいそうになる。

「私の方が、そうね、すこし社交的かもしれない」

秋美の髪が私の首に触れる。それはやわらかくて軽く、もう濡《ぬ》れても湿ってもいない。

「でもそれだけのことだわ」

意志に反して、私の皮膚が秋美の皮膚を味わおうとする。過去も未来もなく、今夜どうしても。

「そしてね」

くくっと笑い声をもらし、秋美は言った。

「私たちは危険なものが好きだったでしょう？ 忘れちゃったの？」

いつか、と、私は考える。いつか、私たちは別れるかもしれないし、別れないかもしれない。

私はすでに、秋美以外の人間を胸の内で皆殺しにしてしまったのだ。

「機嫌は直った？」

直ったわ、とこたえる以外になかった。私はたぶん幸福なのだ。すくなくとも今夜のところは。

店の人に頼んで、私たちは三杯目のビールをグラスごと持って帰った。あした返しに来るから、と言って、秋美が交渉した。

「歩きながらうたうのも好きだけど、歩きながらお酒をのむのも好きなの」

と、秋美は言う。

「両方する？」

「するっ」

私たちは手をつなぎ、小さい声でうたいながら歩いた。ときどきそれぞれビールをのんだ。むし暑い夜で、ビールはぬるく、濃くやさしい味がした。

「熱帯夜だね」

「うん。熱帯夜だ」

一度、立ちどまって深いキスをした。ビールはぬるいのに、唇はつめたく新鮮な味がした。

「沖縄も熱帯夜だったね」

「うん。熱帯夜だった」

「あいしてるあいしてるあいしてる」

私は言い、嬉しくなって駆けだしてみる。

「千花ちゃん、子供みたい」

秋美が目をほどいて笑う。

「あー、幸福だ」

私たちはそう言いあう。空はもう群青色じゃなく、かといってほんとうの黒でもない。

「ずーっとこのままならいいのに」

私が言い、

「ずーっとこのままだよ」

と、秋美が言う。そして二人ともいっぺんに噴きだしてしまう。

「そらぞらしい」

と、非難しあう。

マンションに帰ったら、私たちはくっついて眠るだろう。たぶん今夜は性交はしない。ただぴったりくっついて眠るだろう。男も女も、犬も子供もいる世の中の片隅で。

煙草配りガール

「御歓談中失礼します。お客様はお煙草《たばこ》お喫《す》いでしょうか」

やわらかな声がして、私たちは口をつぐんだ。いきなりだったので、うまく反応できなかった。薄暗いバーのテーブル席で。

銀色のジャンパーに白いミニスカート、白い野球帽という恰好《かっこう》の、背の高い女の子が二人立っていた。二人ともくっきりと整った顔立ちで、一人は黒く長くまっすぐな髪を、もう一人は茶色く染めた短い髪をしていた。

そのとき私たちは、四人のうち三人が煙草を喫っていた。小さな灰皿をわざわざ二つもらっていたし、テーブルのまわりは煙だらけだった。それなのに一体どうして彼女たちがそんなことを訊《き》くのかわからなかった。

それに、私たちは歓談なんかしていなかった。夫がはやく帰りたがっているのはあきらかだったし、百合《ゆり》はいまにも泣きだしそうに見えた。でもともかく女の子たちはやってきて、返事をきくまで頑として そこにいるつもりらしかった。

「喫いますよ。ごらんのとおり」

結局、明彦《あきひこ》さんがそうこたえた。指にはさんだ喫いかけの煙草を、ごく軽く持ち上げてみせながら。

女の子たちは二人同時に鮮やかに微笑《ほほえ》み、

「ただいま、新製品のキャンペーンを行っております」

と言った。私たちは誰もそれに興味がなかったが、みんな彼女たちを見守った。

夫は私の椅子《いす》の背に片手をまわしていた。そうされるのを私が好むことを知っているのだ。テーブルにはフローティングキャンドルが置かれ、白っぽい光を放って燃えていた。

女の子たちは手に持ったバスケットから、新製品の煙草をだしてテーブルに置き、空き箱のポイントを集めると何かが当たる、というようなことを説明した。

「なるほど」

と、明彦さんが相槌《あいづち》を打った。百合が私の顔をみたが、それがどういう合図なのか私にはわからなかった。

そして、女の子たちはいってしまった。べつのテーブルへ。くっきりした笑顔ごと。

「で、何の話だっけ」

明彦さんが言った。

私と百合は父親同士が親友で、生れたときから家族ぐるみのつきあいだった。私の父は車の運転ができなかったので、私が生れたとき、退院する母と私を迎えに駆けつけてくれたのは百合の父親だったし、百合の弟が生れるときは、百合の母の入院するあいだ、百合と百合の兄がうちに泊った。

夏休みには一緒に海にでかけたし、冬休みには一緒にスキーにでかけた。両親同士がどちらかの家で麻雀《マージャン》に興じる夜は、子供同士その家の二階の子供部屋で一緒に眠った。

百合の父親は雉撃《きじう》ちが趣味で、庭のケージにポインターを飼っていた。去年私の母が死んだとき、百合は私以上にはげしく泣いた。百合は私の母を「おばちゃま」と呼んでいた。

「結局、明彦は何もわかってないのよ」

百合が言い、明彦さんは首をすくめる。

「おなじものを」

夫が店の人を呼び止め、空になったグラスを指さした。夫と明彦さんはソルティドッグを、私と百合はジントニックをのんでいる。

「何もって、たとえば？」

会話がさっきから堂々めぐりをしているように思えたので、私が訊いた。百合は私をにらみ、でもすぐに気をとり直して、

「私が考えていることや、感じていること」

と、こたえた。夫が椅子の上で姿勢を変え、もううんざりだと私に伝えた。

私は二十七で一度結婚して離婚し、三十五のときにいまの夫と再婚した。子供は無く、動物も飼っていない。再婚後四年たったいまは、すくなくとも平穏な日々だ。

百合は恋の多い女だったが三十七まで独身で通した。明彦さんに出会い、度を失ったのだ。

「たとえば私たちは歯が抜けて、髪が抜けても一緒にスープを啜《すす》っていたいの」

あのころ百合は、私と夫によくそう言ったものだ。逗子《ずし》のホテルのテラスや、宇都宮のゴルフ場のグリーンの上で。

「たとえば犬を飼いたいし、子供も孫も欲しいの」

百合と明彦さんは結婚し、恵比寿《えびす》に小ぎれいなマンションを借りた。明彦さんは製薬会社につとめている。化学研究員という仕事なので学会があり、出張も多く、百合

は必ずそれについていく。

「百合もまた仕事をしてみたらどう？」

私は言ってみた。百合は大手の繊維会社に事務職で就職し、実績を積み、試験を受けて総合職になった。もともと努力家なのだ。肩書きもつき、収入も増えたところで彼女がすぱんと仕事を辞めてしまったことを、私はもったいないと思っている。

「どんな？」

百合は顔をふって前髪を払う仕草をし、両手でジントニックのグラスを持った。

「私は綾《あや》ちゃんみたいな専門技術を持ってるわけじゃないのよ」

私と夫は、二人とも会計士をしている。小さな事務所を共同経営しており、職場でも家でも一緒だ。

「専門的な仕事である必要なんかないでしょう？」

私は言い、チーズを一つつまんだ。鮮やかなオレンジ色の、ミモレットチーズ。

「でもそれは話のポイントと違うだろう」

夫が言い、また姿勢を変えて、今度は前かがみになった。

「じゃあポイントは何なの？」

私の質問に、誰もこたえなかった。

「あの女のことだって」

ふいに百合が語気を強め、明彦さんが大げさな身振りで椅子にのけぞる。

「またその話か」

百合は細い眉《まゆ》を上げてみせる。

「いいわ。もう蒸し返さない」

私たちは、百合をのぞく全員がほっとしたと思う。

「でもね、あのときのことで私が許せないのはアヤマチそのものじゃないのよ。あのときの明彦の言葉なの」

「どのとき？」

明彦さんが訊き、

「だからあのとき」

と、百合がこたえる。

「だからどの言葉かって訊いてるんじゃないか」

私には、それがどの言葉かは問題じゃなかった。ただ、明彦さんが結婚後半年とたたないうちに部下と肉体関係を持ち、それが発覚して百合が離婚届に判まで押してつきつけた「あのとき」のことはあきらかに明彦さんに非があって、それを彼がむしろ苛立《いらだ》った口調で、どの言葉かなどと問うのは奇妙な気がした。

「もういいわ」

百合はむくれ、横を向いてしまう。

「ここ、暖房がききすぎてるわ」

そう言って、不快そうにセーターの襟をひっぱった。私は、そうね、とこたえたあとで、そのセーターよく似合うわ、とつけたしてみる。百合は紺色のマリンセーターを着て、色あせたジーンズをはいている。

「よくないよ。そこまで言ったらちゃんと全部言えよ。気になるじゃないか」

明彦さんが言い、ソルティドッグをのみ干して、グラスを高く上げておかわりの合図をした。私は自分と百合にもそれぞれジントニックをもう一杯ずつ持ってきてくれるよう、店の人の視線をとらえて頼んだ。

「この人、私と別れてもいいって言ったのよ」

百合がその言葉を吐きだした。

「違うよ」

明彦さんは気色ばんで否定したが、私は、

「ひどいわ」

と、つい思ったままを口にだしてしまった。

よそのテーブルでまばらな拍手が起こり、みると隅のグランドピアノの前に、ピアニストの女性が腰をおろすところだった。

「俺は何でもするって言ったんだ。アヤマチはくり返さないと誓ったし、誓っただけじゃなく無論実践中だけど、で、その彼女とは別れるっていうような関係じゃなかったけどまあその言葉を使うならきっぱり別れたし、さんざん謝って、それでも許せないって百合が言うから、俺はもう仕方なく、百合の望むようにするって言ったんじゃないか」

曲名は知らないが、ロマンティックなスタンダードのジャズ曲が流れ始める。

百合はそっぽを向き、煙草をくわえて火をつける。せわしなく喫って煙を吐きだした。

「でも、どうしたいんだって、訊く？　普通。それで私が別れたいって言ったからって、ほんとうにそうしたいのか、なんて訊く？　普通」

「訊いただけじゃないか」

明彦さんは両手をひろげる身振りつきで言った。

私はなんだか酔っ払ってしまった気がして、ジントニックのグラスに指を入れてライムをとりだし、果肉をすこしかじった。

「箱根のこと、憶《おぼ》えてる？」

突然思いだし、私は百合に言った。

「箱根で、百合の両親が派手な夫婦げんかをしたときのこと」

ああ、と言って、百合は微笑んだ。

「憶えてるわ。小学校三年生の夏。夜中で、子供たちは寝てなさいって言われたけど怖くて、だってパパは怒鳴ってるしママは泣いてるし」

遠い夜を思いだし、私と百合は声の調子を自然にあかるくして喋《しゃべ》っていた。

「最後には綾ちゃんのママがグラスを割ったのよね。わざと床に落として、がちゃあんって」

百合は話し続ける。

「私あのとき、もしパパとママが離婚して自分がみなしごになったら、綾ちゃんのうちにひきとられるのかなあ、って考えてた」

「どうしてみなしごになるの？」

「わかんないけど、なんとなくよ」

夫がトイレに立ったのがわかった。

「あの別荘まだあるの？」

私が訊くと、百合は首を横に振り、ジントニックを一口のんでから、

「もう随分前に手放した」

と言った。

「雉の剝製《はくせい》がいくつも置いてあったね。私あれに触るの、結構好きだった」

それから私たちはしばらく黙り、それぞれてんでに飲み物を啜った。

酔い始めた頭で、私はまた全然別なことを思いだしていた。明彦さんに出会う前に、百合が熱を上げていた男のことだ。彼はどこかの大学の助教授で、百合のことをリリーと呼んでいた。リリー。私は初めのうちその呼び名をきくたびに笑ったものだった。彼の趣味はサーフィンで、百合もサーフィンを始めた。ついでに私も始め、私たちはよく三人で海にでかけた。私が離婚した直後だったので、たぶん気をつかってくれていたのだ。助教授は中古のフォルクスワーゲンに乗っていた。私たちはそのちっぽけな車で、あちこちの海にでかけた。

私の目に、百合とその男はとても愛しあっているようにみえた。事実愛しあっていたのだろう。やさしくて真面目《まじめ》な男だった。母親と二人暮らしだと言っていた。

その男と別れると、百合はサーフィンをやめてしまった。私はその後もしばらく続

けたが、結局のところ、私もやめた。

急に、いまここで百合の横にすわっているのがあの男でないということが奇妙に思えた。あるいはいっそ、学生時代に百合がまるまる四年間つきあい、「将来絶対結婚する」と宣言していた男ではないことが奇妙に思えた。

いまトイレにいっている男が私のかつての夫と別人であることも、明彦さんの隣にいるのが彼の一人目の妻――百合は二人目だ――ではないことも、そしてここに坐《すわ》っている私が、夫と十二年間つきあって別れたという京都出身の――そういう女がいたそうなのだが――女でないことも。

「ちょっと酔っ払っちゃったみたい」

私は言い、ジントニックをのみ干した。

夫がトイレから戻り、戻るなり自分のソルティドッグと私のジントニックを新しく注文した。

「考えたんだけどね、それ、ちょっとわかるな」

私の夫は魅力的な人物だが、いつも言葉が足りないのだ。

「それって？」

と、促してあげなくてはならない。

「別れてもいいって口にすること」

私たちは、夫以外の三人とも天井を仰いだ。

「また蒸し返すの？」

夫は私の太腿《ふともも》に触れ、聞けよ、と言う。

「もう何年も前だけど、こいつが元の亭主にさ、別れればいいじゃないって言ってるのを聞いたときにはぎょっとしたよ。電話で、元の亭主にだよ」

「ちょっと待ってよ」

私は言った。明彦さんが、視線は私たちに向けたまま片手をあげ、自分と百合の飲み物を注文する。

「あれはあの人が再婚を迷ってたから、してみればいいじゃないって励ましたんじゃないの。もし駄目だったらそのときに別れればいいんだからって」

離婚後、私と前夫は奇跡的に友人関係を保っている。私の電話での助言のせいではないだろうが、彼も無事再婚し――私と夫はその結婚式にも出席した――、いまのところその妻と暮らしている。

「駄目なら別れればって、そんなふうに考えてるのかこの女は、って、ちょっとショックだったよ、あれは」

百合が私たちをみつめたまま、チーズの皿に手をのばす。

「いや、それはくせが強い。まんなかのがいいよ、ガーリック味のクリームチーズだから」

明彦さんの声がした。百合には食べられるチーズと食べられないチーズがあり、それを自分で判断できないのだ。

「違うでしょう?」

私は言った。

「そんなの全然違う話じゃないの」

夫は脚を組みかえて、

「ただちょっと思いだしただけだよ」

と言う。

気がつくと客の数が減っていた。ピアニストは「Lullaby of Broadway」――これは私も曲名を知っている――を演奏している。

「思いだしただけだ」

夫はくり返し、酔ったため息をついてから、椅子《いす》にもたれて私の椅子の背に腕をまわした。

「いいわ、訂正する。誰かと暮らすのはすてきよって言いたかったの。あなたもきっとたのしいわよって」

実際には訂正になっていなかったが私は謝罪の意味を込めて言い、背中にまわされた夫の手の甲をぽんぽんと叩《たた》いた。

うちに帰ってもう眠りたいと思った。結婚および結婚生活の話はもうしたくなかった。話せば話すだけ困惑を増す。私は道路からみた自分たちの家の外観や、玄関に一歩入ったときの気配、スリッパやパジャマや台所や、寝室に置いてある読みかけの本、バスタブに湯をためるときの幸福な音や湯気の匂《にお》いを思い浮かべた。こげ茶色の毛布とカヴァーのかけられたあたたかいベッドも。

「そうね。まあそういうことだわね」

何がそういうことなのか、誰にもわからないのに百合が言ったので、私には、百合が私とおなじことを考えているのだとわかった。おなじことというのはつまり、もう話はしたくないということ。

理由や結果はどうあれ百合はともかく明彦さんと結婚したのだ。明彦さんはアヤマチをおかし、犬も子供もまだ登場せず、かといって髪も歯もまだ抜けてはくれないのでスープばかり啜《すす》っているわけにもいかない。私たちはみんなすっかり酔っ払い、はやく帰って眠りたいと思っている。つまりはそれだけのことだ。

明彦さんが合図をして伝票をもらい、夫二人がそれぞれの背広のポケットから財布をだす。

「ちょっと待ってて。私トイレにいってくるから」

百合が言い、ハンドバッグを持って立ち上がる。

「待って。私もいく」

ホテルのバーのいいところは、化粧室が広くて清潔なところだ。

「これ、もらってもいいかな」

夫が言い、新製品の煙草《たばこ》をポケットに入れるのがみえた。

「御歓談中失礼します」

そう言って、背の高い女の子が二人で、くっきりした笑顔と共に私たちのテーブルに置いていった、あの煙草だ。

溝

裕樹《ひろき》は車を家の前に停めた。あまり車の通らない住宅地だし、道幅もあるので問題はない。すくなくとも車の外側には。エンジンを切ってから助手席のドアがあくまでに、数秒のまができたことに裕樹は気づく。車を降りるための決心に、志保《しほ》が要した数秒のまだ。志保はいま、運転席側にまわり、後部座席のドアから頭を突込んで、大きな箱を取りだそうとしている。薄黄色の包装紙で包まれたその箱には、ピンク色の、大きなりぼんがかけられている。

「どうして降りないの?」

箱を抱え、そうつぶやいた志保の声は、不思議がるふうでも苛立《いらだ》ったふうでもなかった。そこには何の感情も含まれていないように、裕樹には思えた。あるいは、含まれていても自分には理解できないのだと思った。

「降りるよ」

こたえて、車を降りた。向いの家のベランダに、ウェットスーツと足ひれが干してあるのが見えた。裕樹はつい微笑《ほほえ》む。向いの坊主《ぼうず》、俺が結婚して家をでたときには中学生だったのに、いつのまにダイビングなんかする歳《とし》になったんだ？

「どうして笑うの？」

志保の声に、今度はかすかに苛立ちがにじむ。

「笑っちゃいけないのか？」

裕樹の言葉を、志保は無視した。

門を入り、植木屋の技術と熱意の賜《たまもの》である庭を抜ける。まるで葬式に行くような歩調だ、と裕樹は思った。大きな枇杷《びわ》の木が、たわわに実をつけている。

この同じ飛び石を、志保が文字どおりぴょんぴょん飛ぶように渡った日のことを、裕樹ははっきり思いだせる。

「こんなふうに飛んだ？　子供のころ」

振り向いた志保はからかうような口調で言い、愛にみちた笑顔どころか、愛が溢《あふ》れてそこらじゅうにこぼれてしまうような笑顔を見せた。

「離婚の話は、きょうはまだなしよ」

ひき戸の前に立ち止まって、出がけにすでに話し合ったはずのことを、志保は言った。抱えていた箱を裕樹に押しつけ、小さく息をすってひき戸をあける。

「こんにちはあ」

あかるい声だ。裕樹は半ば感心する。母親が台所から、妹が二階から降りてでてきて、玄関はたちまち歓迎の声と挨拶《あいさつ》と笑い声でいっぱいになる。女たちによる女たちのための儀式だ。

「これ」

りぼんのついた大きな箱を、裕樹は妹に渡した。

「寝てるの?」

志保が二階を指さして訊《き》く。息の合った夫婦の連携《れんけい》プレイみたいに。裕樹は、ゆうべ志保が食器を洗いながら、

「悪いけど、私あなたの妹が嫌いよ」

と言ったことを、いやでも思いだしてしまう。

「あなたの家にいると、自分の居る場所がないように感じるの」

志保はそんなことも言った。

妹のあずさは、二度離婚を経験している。二度目は妊娠八カ月での離婚で、実家に戻って無事出産した。きょうは、その子供の一歳の誕生日なのだ。

裕樹とあずさは特別仲のいい兄妹《きょうだい》ではなく、周りの人間の言う「おっとりした兄と勝気な妹」で、反りの合わないことも、ままあった。それでもごく自然なこととして、裕樹は妹を愛しているし、大切に思っている。

「おう、来たか」

リビングでは父親が待っていた。

「麻雀《マージャン》をしよう、麻雀を」

裕樹の両親は麻雀が好きだ。六畳の和室を一間、麻雀専用の部屋にしてしまったほどだ。

「今？」

この家の麻雀はいままでたいてい食後だったので、裕樹はややおどろいて尋ねた。

「ママ、今でもいいんだろう？　料理はおおかた準備ができているんだろう？」

期待のこもった父親の声に、母親が台所から、

「はい、はい」

とこたえる。

「ギャングが寝てるうちにやらないと、ひっかき回されちゃうからな」

もうつかまり立ちをするのよ、と、あずさが口をはさんだ。

麻雀部屋には、志保の席も用意されていた。それはいわば見学席で、裕樹の席の隣だ。四つのメインの座布団《ざぶとん》の脇《わき》には、灰皿とグラスとおしぼりの用意された煙草盆《たばこぼん》があり、裕樹のそれにはグラスもおしぼりも二つのっていた。

「じゃあパパ、シャンパンをあけて」

母親がボトルを持ってきて言う。

「裕樹も一杯だけつきあいなさいね。帰るまでにはまだうんとまがあるんだから」

裕樹には、隣で志保が身を固くしたのがわかった。

乾杯に続いて、アタッシェケースの小型版のような容《い》れ物から牌《パイ》や点棒やサイコロが出される。

「裕樹、志保さんに教えてあげればいいのに」

母親が邪気のない声で言う。そして志保に、

「おぼえちゃえば簡単よ、こんなの」

と言って微笑んでみせた。

両親は昔から、人を招《よ》んで麻雀に興じるのが好きだった。裕樹もあずさもそれを見て育ったし、子供ながらにまぜてもらえると嬉《うれ》しかった。しかし裕樹は家族および両親の友人たちとしか麻雀をしたことがない。学生時代にせよ会社に勤めるようになっ

てからにせよ、家の外で自らすすんでするほどには、このゲームに熱中できなかった。

「これ、もらっていい？」

志保が裕樹のグラスを手にして訊き、裕樹がうなずくと一息にのんだ。

「私、シャンパンが大好きなんです」

と言う。それについて誰も何もこたえなかったので、その言葉はなんとなく浮いてしまった。

裕樹が志保にはじめて会ったときも、志保はシャンパンをのんでいた。友人の結婚披露パーティの席で、場所は白馬《はくば》だった。結婚した二人がスキー場で出会って恋におちたので、ゲレンデでのパーティになったのだ。そういう時代だった。

麻雀同様、志保はスキーもできない。無論その日は誰もスキーはしなかったのだが、ゲレンデに隣接するホテルのパーティ会場の窓辺で、ナイター設備の照明を浴びて滑降していく他のスキー客たちを見ながら、

「気持ちよさそうね」

と言った志保の表情に、何の憧《あこが》れも込められていなかったことを、裕樹は奇妙に思ったものだ。

「教えてあげようか？」

スキーは得意だったのでそう言ってみた。志保は裕樹の方を振り向きもせず、窓の外をみつめたまま、

「いいわ」

と、こたえた。肯定ではなく否定のそれだと、はっきりわからせる言い方で。

それからいきなり会場に視線を転じ、

「あの子たちのドレスアップをどう思う?」

と、訊いた。新婦の友人たちは皆、それぞれたしかに着飾っていた。「どう思う?」は志保のよく使う言いまわしだが、そのときの裕樹は知らなかった。志保は裕樹の返事を待たず、

「みっともないわよね。これみよがしに色とりどりで、舞踏会で王子様に選んでもらうのを待っている、プチブルジョワの娘たちみたい」

と、言った。あのとき、志保はどんな男と恋をしていたのだろう。今に至るまで一度も訊いてみたことはない。

半荘《ハンチャン》麻雀ではあったが、思いの外時間がかかった。裕樹以外の四人は白ワインをのみ、裕樹は麦茶をのんだ。母親はたびたび台所に立ち、あずさは二度寝室に娘の様子を見に行った。二度目には娘を抱いて降りてきて、

「起きちゃったの」

と言った。子供は裕樹の目に、ひどくぐんなりした物体に見えた。小柄なあずさが抱くには大きくなりすぎているように思えた。起きたとはいえまだ眠そうで、ヨダレだか涙だかわからない透明な液体を、小さな手で自分の顔じゅうにこすりつけていた。あずさはそれを、細心の注意を払って畳に横たえた。

「もう歯が生えてるのね。見て、裕樹」

志保が言った。子供はおや指をしゃぶり、あずさの太腿《ふともも》に顔をつけるように寝返りをうった。あずさは真剣な面持ちで自分の牌を見つめ、右手だけはほとんど無意識のように見える仕草で子供のやわらかな髪に触れている。

「ぽん」

髪をなでたまま、はっきりした声で言った。午後六時をすぎている。腹が減った、と、裕樹は思う。形勢は父親とあずさの二人勝ち濃厚だ。

裕樹はふいに居心地の悪さを感じる。家族の友人の誰彼の消息や、両親がでかけた温泉地の話——そこで彼らはたぬきと鹿《しか》を見たという——、単調な動作を一人ずつくり返しながらぽつりぽつりと語られる家族の物語は、いまの裕樹から随分遠いことに思える。赤絵の灰皿や障子の下の地袋や、その部屋の何もかもが以前と変わらない様子でそこにあるのに、裕樹が感じるのは懐《なつ》かしさではなく不思議さだった。既視感の持つ不思議さに、それは似ていた。

「私が浮気をしていると思ってるでしょ」

裕樹が志保にそう言われたのは半年ほど前のことだ。ひさしぶりに二人で映画を観《み》にでかけ、帰りの地下鉄の中で言われた。やはり表情の読みとれない顔をしていた。

「してるの？」

ならんで吊《つ》り革につかまり、目の前のガラスに映った志保に、裕樹は訊いた。

「いいえ」

志保はこたえ、くすくす笑った。

「私は浮気なんかしていない。したこともない。でもあなたと別れたいと思っている。それって、浮気をしているよりひどいわね」

裕樹は浮気をしたことがあった。二度旅行をし、食事や性交は、たぶんその三十倍くらいした。たのしかったのはほんの初めだけで、あとは辛《つら》い気持ちにばかりなった。志保に対してもその女に対しても気が咎《とが》めた。志保といるときはその女といるときは志保に、きまって会いたくなるのだった。

別れてしまうと安堵《あんど》だけがあった。ほとんど解放感といっていいような、清々《すがすが》しく自由な心持ちがした。

麻雀は、結局あずさが勝って「ミルク代をかせいだ」。こまめに鳴いてこまめに上る、あずさのいつもの麻雀だった。

「強いのね」

志保は言い、あずさにグラスを掲げてみせる。あずさは返事をしなかった。

あずさは、子供のころは男の子にまちがえられてばかりいた。やせっぽちで色が黒く、目ばかりぎょろぎょろ大きかった。大人になり、流行の服の中でも挑発的なものを着こなし、依然としてやせっぽちで色が黒いままなのにひどく女っぽい母親になった目の前の妹は、裕樹にはしかし過去からずっとつながった、やんちゃで賢いあずさそのものだ。

「私、酔っ払っちゃったわ」

部屋に二人きりになると、志保は言った。

「ここのお家《うち》、お酒もいつも上等なものばかりのむのね」

夕食が中華料理であることは、入ってきたときからわかっていた。干ししいたけのだしの匂《にお》いや、肉の煮込みの匂いがすでにしていた。それはいまや家じゅうに充満し、空気がゆらめいて見えるほどの濃度になっている。

「裕樹も一杯だけつきあいなさいね」

ビールを手にした母親が、再び同じことを言った。「ギャング」はすっかり目をさましていて、子供用の椅子《いす》にベルトで固定された恰好《かっこう》のまま、下にだけ二本生えた歯を見せて笑っている。

母親の得意料理である水ぎょうざは、裕樹には文句なく懐かしい味がした。父親が自作の漢詩を披露し、母親は短歌で応戦した。ビールが紹興酒《しょうこうしゅ》に変り、裕樹をのぞく四人が揃《そろ》って頰を上気させたころ、唐突に食事が終った。笑い声や会話が止《や》み、次々に運ばれていた皿も出尽くしていた。

「たのしかったな」

父親が言った。

「なあママ、たのしかったじゃないか」

それは誰の耳にも奇妙な言い方に聞こえた。くり返されたことでなおさら、感傷的すぎるように思えた。

「あたしいま学校に通ってるのよ」

一瞬できてしまった沈黙に、頓着《とんちゃく》していないふうな物言いで、あずさが裕樹に話しかける。

「資格をとって働こうと思って」

「何の資格？」

「まだわからないけれど」

再び沈黙ができた。

「でもそれ、何の学校なの？」

裕樹が訊くと、あずさではなく父親が、

「そう言うな」

と言った。

「そう言うな？」

裕樹は首をかしげる。

「僕は何も言ってないよ」

志保が片手を裕樹の太腿にのせた。

「あずさはとってもいい奥さんだったのよ」

質問のように語尾を上げ、母親が言った。

「和人《かずと》さんが車のときは、和人さんがのめるように自分はお酒を我慢して、帰りに運転してあげてたもの。献身的だったのよ」

三度目の沈黙は、志保がくすりと笑うことで破った。

「私は運転の資格をとる学校になんか行かなかったから」

その冗談に、あずさだけが笑った。

「ああ勿論《もちろん》それはいいのよ。運転なんて、あたしもできないもの。いいの、いいの」

母親の言葉をぼんやり聞きながら、裕樹は、この瞬間父親はもう「たのしかった」とは思っていないだろう、と思った。

志保はでていくのだろうか。

いままで、それならそれで仕方がないと思っていたことが、突然現実味を帯びて――しかも目前に迫ったことに思えて――裕樹を恐怖で包んだ。志保はでていくのだろうか。自分を捨てるのだろうか。

気温はさほど高くないのに、じっとりと蒸す夜だった。裕樹と志保は食事の礼を言っていとまを乞《こ》い、両親と妹に見送られて家をでた。飛び石の途中で振り返った裕樹は、見送っている三人を寄る辺のない三人の子供のように感じた。前を歩いている志保は、またくつくつ笑っているように見えた。

車に乗ると、裕樹はやや疲労を感じたが、同時に突然自由になったと感じた。ちょうど、浮気相手と別れたときのように。

「食べたな」

座席にもたれ、息をついて言った。

「ともかく無事に終わったから」

志保にとも自分にともつかず言い足して、返事がないので横を見ると、驚いたことに志保は泣いていた。

「どうした？」

後部座席からティッシュの箱をとって渡した。裕樹はいままで、志保の泣くところを見たことがなかった。

「ごめんなさい。なんでもないわ、ただの酔っ払いよ」

志保は声まで濡《ぬ》らして言い、涙を拭《ぬぐ》ってはさらにこぼしながら、

「裕樹には悪いんだけど、私はあの人たちがほんとうに苦手なのよ」

と言って鼻をつまらせ、鼻をかんでまた続けた。

「そりゃあ私たちはもうじき離婚するわけだけれど、だからって私があの人たちをこんなに嫌うなんて変じゃない？　あなたどう思う？」

裕樹は呆《あき》れて首をすくめる。

「わからないよ。そんなこと僕に言われたって」

キーをまわし、エンジンをかけた。

「すこし眠れば？　きっと落ち着くから」

不快感と苛立《いらだ》ちが、露骨に声ににじんだ。

「いいわ」

濡れた声で志保は言い、それから今度こそほんとうにくつくつ笑いだした。

「うちのトースター壊れてるのよ、知ってた？　私はきのう歯を抜いたの。歯の抜けた口でキスをしたわ。浮気じゃなくてもキスくらいするのよ。冷蔵庫をずっと掃除していないから、奥にはたぶん去年の野菜とか、ハムとかチーズとかが入ってるわ。知ってた？　私たち、一緒に暮らしてはいても、全然別の物語を生きてるのよ、知ってた、そのこと」

志保の「知ってた？」は果てしなく続いた。

「私、きょうあなたに贈り物があるの。知らなかったでしょう、それは。買ったものじゃないんだけど、それに、一体どうしてあなたにそんなものをあげたくなったのかわからないんだけど」

裕樹はうんざりし、

「もう寝ろよ。酔っ払ってるんだから」

と、くり返した。車の中が中華料理くさいことも気にさわった。酔っ払いが泣いたり笑ったりすることも。

ようやく自宅に帰りつき、ガレージに車を入れたときには深夜近くなっていた。志保はもう泣いても笑ってもいなかった。そればかりか、志保はもう自分の妻のように見えなかった。

「待って」

エントランスに向おうとした裕樹を志保が呼びとめる。

「贈り物があるって言ったでしょう？　トランクをあけて」

裕樹は、食事中に志保が席を立ち、立ちぎわにぼそりと、車のキーを貸して、と言ったことを思いだした。何か取りにいくような素振りは口実で、ほんとうはただおもての空気を吸いたいのだろう、と思いながらキーを渡した。

志保の贈り物と、そのあとの発言は、裕樹にはまるで理解できなかった。そこにはウェットスーツが入っていた。持ち上げるとべかりと人の形にたれてぶらさがった。

「持ってきちゃったの？」

裕樹は言い、夜のガレージで茫然《ぼうぜん》と、その黒い不気味な物体を見つめた。それは誰かの抜け殻に見えた。あるいは残骸《ざんがい》に。空《から》っぽで冷たいのに、生々しく体温や気配を想像させるそれは、本来の持ち主のそばを離れて困惑しているように見えた。ほとんど恥入っているように。

「私たち一度は愛しあったのに、不思議ねぇ。もう全然なんにも感じない」

志保は言った。

「ねえ、どう思う？　そのこと」

こまつま

美代子《みよこ》はデパートが好きだった。ほとんど愛していると言ってもよかった。しかし、どのデパートでもいいというわけではない。美代子にとって、デパートといえばここに決まっているのだ。

「匂《にお》いがちがうの」

美代子はかつて唯幸《ただゆき》に、そう力説した。

「ほんとうよ。目かくしをされていても、一歩入れば絶対にわかる。あのデパートには特別な匂いがするの」

いまはもう、唯幸に対して何かを力説することなどない。力説しても理解はされないのだし、そもそも自分が唯幸に理解されたいのかどうか、美代子にはわからない。

とはいえ夫婦仲が悪いわけではなかった。先月、二十回目の結婚記念日を迎え、その日は夫婦二人で外食をして、襟巻と文鎮という贈り物を交換しあった。高校生の息子に言わせれば、「親父《おやじ》はお袋がいないと何もできないんだな」という状態なのだし、中学生の娘に言わせれば、「でもママは幸せよ、ちゃんとパパを尻《しり》に敷けてるもん」という状態で、だからつまり全体として、私はまずまず上手《うま》くやっているのだろう、と美代子は考える。現にいまだって、両手に一つずつ提げた紙袋の中身は、夫と息子の靴下と、夫のパジャマと息子のTシャツとベルトだ。娘はすでに、自分も一緒に選ばなければ、納得しないようになっている。

美代子は、だから自分自身の買物を、娘といるときにだけ、することにしている。きょうのように一人のときは、夫と息子のものだけを買う。そして、夫と息子のものだけを買う日の方が、美代子はより幸福を感じる。

美代子の買物の仕方は決まっている。秩序が大切だと思っている。効率は言うにおよばず。

午前中の方がすいているが、開店時間には行かない。開店直後は従業員が客に挨拶《あいさつ》をしてくるので気恥かしいのだ。開店から一時間がすぎたころに、美代子はひっそりと入る。あらかじめ用意しておいた買物リストにそって、てきぱきと——上の方の階から下に向かって——売り場を移動する。余計なものに気をとられたり、ふらふらとひきよせられたりはしない。いくらデパートが好きだからといって、そんなふるまいはできない。美代子の意見では、そんなふるまいをする人間は二種類しかいない。愚かで孤独な若い娘と、暇で孤独な主婦たちと——。かつて自分は後者だったし、さらに溯《さかのぼ》れば前者だったこともある。たとえば似たりよったりの化粧品の壜《びん》の一つ一つが、まばゆいほどの清潔さと新鮮さでもって美代子を誘った。あるいは海外のアーティストが手作りしたという一点もののマグカップの一つ一つが。

暇でも孤独でもない主婦である美代子は、もはやそんなものに興味をひかれない。てきぱきと買物をすませ、午後一時すぎには地下食料品売り場に下りる。

ここでだけ、美代子は自分を解放する。色とりどりの食材のならぶコーナーも、名前は知っているが行ったことはない高級料亭の出店も、濃い匂いと湯気をたてて運ばれるキッシュやらカツレツやらのならぶカウンターも、歩きながら丹念に眺める。家族の顔を思い浮かべながら、思うさま買物をたのしむ。娘と約束してきた数量限定のシュークリームの列にならび、唯幸の好きなかす漬けの鮭《さけ》を選び、国旗のさがったイタリアフェスタでは、生ハムとチーズを買った。思いついて唯幸の実家に数種類の生ハムを詰めあわせたものを送り——唯幸の弟一家が同居しているので、大人数だ——、美代子は満足する。

荷物が多いので、受け取ったつり銭を財布に入れることさえ一苦労だ。若い女の店員が、わずかに同情をこめた微笑を見せる。美代子も微笑を返す。やれやれ、という微笑。自分が孤独と縁遠い女であることを、店員が感じてくれた気がして、満足がさらに高まった。

デパートで、自分以外の誰かのための買物をすることくらい幸福なことはない。美代子はそう考える。

イタリアフェスタを離れ、美代子はいつもの手順どおりに、地階奥にある「手荷物一時預り所」にすべての紙袋およびビニール袋――本日の収穫――を預ける。タグを受け取り、身軽になって、足を速めて再びエスカレーターに向かう。五分前までとはまるで違う表情であることに、美代子は気づいてさえいない。

途中で化粧室による。ことこのデパートに関する限り、どこの化粧室がいちばんすいていて清潔であるか、美代子はしっかり把握している。新館の四階だ。

化粧室は階段の途中にあり、その一角は、美代子にとって郷愁にみちている。ひろびろとした青い階段、壁に貼《は》られた案内図やポスター、公衆電話、そしてベビーベッド。

美代子の両親は二人ともすでにこの世にない。美代子の生れ育った家も、売却されて久しい。

この階段に来ると実家に帰ったのに似た気分になる、と言ったら両親は——もし生きていれば——笑うだろうか、あきれるだろうか。

美代子は考え、その考えが可笑《おか》しい思いつきに思えて小さく笑った。

あのころ、ここのエレベーターの扉は二重構造になっていて、外側は鉄の蛇腹《じゃばら》式だった。客が乗ってしまうと、制服を着た係員が恭《うやうや》しく一礼してそれを閉めたものだった。がちゃんと重たい音をたてて閉まるその扉が、美代子にはいつもおそろしく思えた。それでも美代子の両脇《わき》には両親が立っていた。両手をそれぞれ両親の手に包まれ、だからまったく安心して美代子はそこに立っていた。

おなじことを息子や娘にも——エレベーターの構造こそ違え——してやったのに、そのときの記憶より両親との記憶の方がずっと鮮明だ。保護した記憶はつねに曖昧《あいまい》に輪郭をぼかし、保護された記憶ばかりが、つねにしみつく。美代子自身にさえ、それをとりのぞくことはできない。

デパートを歩くとき、美代子は自分がデパートを好きであることを、おくびにもださずに歩く。誰にも気取られないように。頭を上げ、足を速め、ほとんど傲然《ごうぜん》と。用事があるから来ているだけで、ほんとうは一刻も早く立ち去りたいのだ、という顔をする。

それがばかげたふるまいであることはわかっていた。美代子がどんな顔で歩いているかなど、誰も見てはいない。でも、美代子は誰かに見られているかのようにふるまう。誰かに、おそらく信二に。

信二と恋をしたのは、唯幸と出会う前だ。学生時代の恋。あまりにも遠すぎる。もしもどこかでばったり出会っても、互いに相手に気づかないだろう。

そして、それにも拘《かかわ》らず、ある意味で美代子は信二に支えられている。それは信二への思慕ではなくて、信二の隣にいた若い自分への思慕だ。その女は、デパートで夫のパジャマや息子の靴下を買い、娘のためにシュークリームの行列に並んで悦に入るような女ではない。

この二十年間、美代子は浮気をしたことはない。唯幸を、自分に与えられたただ一人の夫として愛し、敬い、いつくしんできた。しかしごくたまに、ささやかな自慰行為におよぶときには信二のことを考える。あるいは信二に愛される自分を。

それは美代子だけの秘密だが、美代子自身、秘密という言葉で認識するほど重大なこととしてとらえたことはなかった。ちっぽけなことだ。罪のない、まるでどうでもいいようなこと。

エスカレーターで最上階までのぼる。ところどころに鏡が配されているので、美代子は注意深く背すじをのばしてそれに乗る。

馴染《なじ》みの洋食屋で昼食をとり、あしたの子供たちの弁当用に、クリームコロッケを折詰めにしてもらったものをうけとる、というのが美代子のデパートでの最後の仕上げだ。あとは地下で荷物をうけとって、そのままタクシーに乗って帰る。

最上階のエスカレーターホールには、外国の庭園にあるような金属の椅子《いす》がならべられている。椅子は深緑色で、優雅な猫脚だ。そこにはたいてい老人がすわっている。鞄《かばん》をななめがけにして、途方に暮れたような顔で。

きょうも老人が二人すわっている。男と女が一人ずつだ。男は眼鏡をかけていて、ベージュのジャンパーを着ている。両足のあいだに杖《つえ》を持ち、杖で上半身を支えている。女は男よりも顔色が黒ずんで、しわが目立つように思える。襟元にスカーフをたくし込んでいる。

美代子は彼らを目の端にとらえる。そして見なかったふりをする。なんとなく、そうしなくてはいけない気がするからだ。

十歳前後の子供が二人――やはり、男の子と女の子だ――、声をたてて走ってくる。一人が一人を追っており、追われている女の子の方が、悲鳴にも似た笑い声をたてた。うしろから、彼らの母親がでてきてたしなめる。おどろいたことに、母親はもう一人赤ん坊を抱いている。

美代子はほとんど驚愕《きょうがく》する。自分にはとてもできないと思う。しかしその気持ちと裏腹に、美代子はやさしげに微笑《ほほえ》んでしまう。なつかしそうに、いかにも母親としての先輩然として。

あやうく声をかけそうになる。小さいお子さんがいるうちは、お買物も大変よねえ。

美代子はそれを言うこともできるし、言わないこともできる。

洋食屋の支配人は、いつものように笑顔で美代子を迎えた。天気の話と息子の話――この前家族で食事に来たときに、息子は期末試験中で、食事のあいだもノートをひらいていたのだ。いつだって泥縄で。美代子は笑いながらそう言ったが、それは、謙遜のつもりだった――をし、カウンター席にすわった。一人のときはカウンター席、と決めているのだ。食べるものも決めている。サンドイッチと紅茶。ここのサンドイッチは、焼いた食パンのあいだにしっかりしたハンバーグがはさまっていておいしい。渡されたおしぼりをつかいながら、美代子は周りを見回す。平日の昼間の食堂は、女性客ばかりだ。若いのや、若くないのや。みんなにぎやかにお喋《しゃべ》りに興じ、食べ、かつ飲んでいる。

「あの、いつもの折詰めも、おねがいね」

あらかじめ電話で頼んであるのだが、そばに立っていたぼんやりしたウェイトレスに念をおす。そうすれば、ここにいることの正当性を主張できると思っているみたいに。

周囲からきこえてくる女たちのお喋りは、聞くに耐えないもののように美代子には思える。若い人たちのようにイヤフォンで好みの音楽でも聴いて、何かの病気か中毒の人のように身体《からだ》を小刻みに揺らして目を閉じ、口を半分あけて外界をシャットアウトしてしまえたらいいのに、と考えてみる。そうまでして聴きたい音楽が、自分にあるかどうかはともかく。

サンドイッチが運ばれ、美代子はそれをナイフで切って口に運ぶ。一口ごとにナプキンで口をおさえる。左腕にはアンティークの華奢《きゃしゃ》な時計がまきついている。

唯幸は美代子を「こまつま」と呼ぶ。うちのこまつま、と。こまねずみのように働く妻、という意味で、それはつまり働き者だということだ。こまねずみというものを実際に見たことはないのだが、美代子はその呼ばれ方が気に入っている。息子も娘もときどき真似《まね》をして、「こまはは」と呼んだりする。美代子はそれも気に入っている。

ある種の名誉ではないか。

食事は二十分で終ってしまう。ピクルスとパセリの残った皿を、美代子は脇へ押しやって時計を見る。短い時間で昼食をすませることも、美代子には大切に思える。時間をかけてここぞとばかり愉《たの》しむような、愚かで孤独な若い女や、暇で孤独な主婦とは違うのだ。

そのときカウンターのうしろの棚に、首の細長い優美な壜が置かれていることに気づいた。透明な液体が三分の二ほど入っている。飾り文字の描かれたラベルも美しく、ビールやワインといったポピュラーな酒——周りのテーブルでほかの女たちが飲んでいるような——とはあきらかに違う、なにか孤高の佇《たたず》まいがあるように、美代子には思えた。無色透明で、清潔で可憐《かれん》な様子をしている。

一体どういう理由によるものか、美代子自身にもわからなかったが、その壜に魅入られたようになった。

「あれは何？」

ちょっとした好奇心、といった口調で、ウェイトレスに尋ねた。

「は？」

ウェイトレスは美代子が何を指しているのか判断しかねたらしく、そう訊《き》き返した。

「あの壜、首のながい、あのきれいなお酒。お酒でしょ、あれ」

人差指で、小さく示しながら、美代子は説明する。無意識のうちに、はにかんだような、叱《しか》られるのを恐れる子供のような態度になっていた。

「ああ、グラッパです。めしあがってみます？」

事もなげに、ウェイトレスは言った。まるで、酒ではなくケーキでもすすめているみたいに。まるで、ここが昼間のデパートではなく、美代子が酒に不馴れな人間ではなく、まるで——。

「そうね、じゃあすこしいただこうかしら」

事もなげに、美代子はこたえていた。

酒がのみたかったわけではない。だいたい美代子は普段酒をのまない。下戸《げこ》というわけではなかったが、特に好きだと思ったことはなく、唯幸と外食をするときにだけ、つきあいのつもりでワインを一、二杯のむくらいだ。ただ、なんとなくあの壜の中身をのんでみたくなった。他のテーブルの女たちがのんでいるのとは違う、清潔で可憐なあの壜の中身を。

美代子の目の前で、ウェイトレスはそれを小さなリキュールグラスについでくれた。なみなみとつがれた液体はより一層透明に澄みきって見え、それでいてあきらかに水とは違うやわらかさをたたえている。昔、お伽話《とぎばなし》で読んだ泉の水というものは、こんな感じだったかもしれない。美代子はぼんやりそう考える。

ウェイトレスが壜をカウンターに置いたまま立ち去ったので、美代子は内心わずかにうろたえた。これでは私が何をのんでいるか、みんなにわかってしまうではないか。こんなところで、一人で。

グラスを持ち上げ、こわごわ唇をつけた。

それは強い酒だった。グラッパというのはぶどうでできているはずだ。その程度の知識しかない美代子は、可愛《かわい》らしい壜の印象から製菓用の甘い酒の類《たぐい》を想像していたのだが、全然違っていた。のみきれないかもしれない。はじめてそのことに思い至った。ナプキンはサンドイッチの皿と共にすでにさげられていたので、美代子は膝《ひざ》にのせた鞄からハンカチをだして、口元を拭《ぬぐ》う。唇がひりひりした。

「随分強いのね」

言い訳のように、小さな声でひとりごちる。注文したことを、半ば後悔し始めていた。それでもやめるつもりはなかった。たとえばここに唯幸がいれば、笑って残りを引き受けてくれるだろう。息子でさえ、最近は外でときどき酒をのむことがあるらしいので、「こまはは」に代ってのみ干してくれるかもしれない。しかし、それは認めがたいことに思えた。信二に見られたら腑甲斐《ふがい》ないことに。

背すじをのばし、美代子は再び挑戦する。今度はできるだけ唇に触れないように、液体をそっと喉《のど》に流し込んでみた。口じゅうにカッとからい――あるいは熱い――感触がひろがり、のみこむやいなやそれは蒸発したようだった。美代子はにっこりする。なんでもないじゃないの。おいしいと言ってもいいくらいだ。

もう一口のんだ。グラスには、あと一口ぶんしか残っていない。

不愉快だった周囲の喧噪《けんそう》が、ふいに穏やかでなつかしいものに思われた。美代子はまったりした気分になる。酒は、のむとからいが、のみおえると甘い余韻が残るのだった。

地階に預けてある荷物のことを思った。家族の食料や下着の入った、持ちきれないほどの紙袋、ビニール袋。そこに、コロッケの折詰めも加わるのだ。あたたかい折詰めは、タクシーの中でむっとした匂いを放つだろう。運転手に嫌な顔をされるかもしれない。運転手というものは、大荷物を抱えてデパートから乗り込む女の客に対し、往々にして不親切なものだ。しかし美代子はそれに乗るし、それに乗って、早く家に帰らなければならない。子供たちが学校から帰ってくる時間には、家にいてやりたかった。夕食の仕度もあるし、犬を散歩に連れていかなくてはいけない。

酒をのみ干した。

「おいしいじゃないの」

美代子はまたにっこりする。酔いもしなければ、何も変ってはいない。腕時計を見た。店に入ってから、まだたった三十分だ。そのことに、満足と小さな誇らしさを覚える。カウンターに置かれたままの壜にも、もはや違和感はなかった。それどころか、なにか親しい気持ちさえした。立ち上がって伝票をとり、レジに向かった。

エスカレーターホールには、さっきの子供たちの姿も、老人の姿もすでになかった。かわりに別な老人が一人と、中年女性が三人すわっている。美代子はその人々のことも見て見ないふりをする。自分とは違う生き物であるみたいに。

あたたかで持ち重りのする包みを提げて、背すじをのばしてエスカレーターに乗る。誰かに——おそらく信二に——見られてでもいるみたいに気取って、この場にふさわしいと自分の思う、毅然《きぜん》とした態度で。周囲に馴染んでしまわないよう急ぎ足で、地階に向かってまっすぐに下りていく。

洋一も来られればよかったのにね

私は独身女のように自由で、既婚女のように孤独だ。

なつめは旅行鞄《かばん》に荷物をつめながら、そう思った。静子は七十四になる。なつめ自身は早くに母親を亡《な》くしており、その年頃の女性を他に知らないので比較のしようもないのだが、おそらく静子は七十四という年齢に比して、おどろくほど若やいだ、気丈夫な女だろうと思われる。夫の生存中も死後も、子供を産み育てるあいだも、ずっと仕事を持っていることが関係しているのかもしれない。静子は浅草で、小料理屋を営んでいる。

ラムスキンとキャンバス地を組み合わせた大ぶりな旅行鞄に、なつめは必要なものを端からつめる。下着。煙草《たばこ》。本。例年、伊達《だて》の薄着でやってくる静子のために、たっぷりしたストールも入れた。

なつめが恋をしたことを、無論静子は知らない。身も世もなく身を窶《やつ》したことも、その恋を失ったことも。

ルイはフランス人の父親と日本人の母親を持つハーフで、なつめより七つ歳下《としした》だった。背は高いが少年のように華奢《きゃしゃ》な体型で、それでいて手がやけに大きく、その手にかき抱かれると――ルイは、抱きしめるとき片手を背中に、もう一方の手を後頭部にあてがって、なつめを庇《かば》うみたいに、あるいは支えるみたいにして、力を込めるのだった――、何もかも、ほんとうに何もかも、この男の腕の中にあるもの以外は自分には不要だ、と思えてしまうのだった。

ひとから見れば、ありふれた浮気なのだろう。なつめはやや自嘲《じちょう》的にそう考えてみる。ルイはブティックの店員をしていて、なつめはそこの、上顧客《とくい》だった。

関係は二年ほど続いた。ルイは機知に富み、繊細で、横暴だった。フランスと日本という、異なった国の異なった文化を、ちぐはぐに身につけていた。カメラマンになりたいと言っていた。京都だの金沢だの、博多だの沖縄だのを旅して、たくさん写真をとっていた。

なつめは台所に降りて、生ゴミを冷凍するとカウンターを拭《ふ》き、ガスの元栓を閉める。あしたの夫の朝食のために、トースターと食器、パンの入ったカゴをテーブルにならべた。戸閉まりをして、ガレージにいく。車が二台ならんでいるガレージには、他にも大工道具や予備の冷蔵庫が置かれている。

旅行鞄をトランクに積み、なつめは自宅をあとにした。

夫の母親である静子との、年に一度の温泉旅行は、結婚以来恒例になっている。静子が小料理屋を休業にするのは、元旦を除くとこの旅行の二日間だけだ。

高速道路はすいていた。サングラスをかけ、ドライヴィングシューズを履いたなつめは、薄荷《はっか》ガムをかみながら、追い越し車線をとばしていく。フェンス越しに見える、くたびれたビル群。

高速を降り、長閑《のどか》に日のあたる広い道路を走りながら、携帯電話で静子に近くまで来たことを知らせる。稲荷《いなり》町の交差点で、静子を拾った。小柄な、くっきりと濃く化粧をした年老いた女を。

「やれやれ」

助手席に乗り込むと、静子はいきなりそう言った。まるで、左ハンドルの車は助手席が歩道から遠いので、車をまわり込んで乗るだけで一仕事だとでもいうように。

「おはようございます」

もう正午に近い時間だったが、なつめはそう言って静子の膝《ひざ》の上の荷物を受けとり、片手をまわして後部座席に置く。こういうとき、なつめは日本語を不便だと思う。こんにちは、にはございますをつけられないからだ。

「お天気に恵まれて、よかったこと」

静子は言い、にっこりした。出がけに仏壇に手を合わせてきたとみえ、かすかに線香の匂《にお》いがする。

静子との旅行は、もともとなつめの言いだしたことだった。自分の夫となった男をひどく愛していたし、その男を産み育ててくれた静子に、感謝したい気持ちだった。静子という女を、なんとなく嫌いでなかったし、息子の興《おこ》した会社の景気がよく、経済的には心配がないにもかかわらず、小さな店を手放さず、日々働きづめの姑《しゅうとめ》に対する、ねぎらいの意味もあった。

しかしいざ旅を重ねてみると、互いにあまり話すことがなく、気づまりなまま、一晩ぎくしゃくと枕《まくら》をならべて寝る、ということに過ぎなかった。それでも旅から帰れば静子は達筆で丁寧な礼状を寄越したし、なつめもまた、達筆ではないが丁寧な礼状を書いて送った。

伊豆にあるいつもの宿までは、三時間のドライヴだった。途中一度休憩をとり、サービスエリアのまずいお茶を嫌う静子のために、水筒につめてきた熱いほうじ茶を、二人でのんだ。静子がトイレにいくあいだ、なつめはベンチに坐《すわ》って待った。たくさんの乗用車が停まり、子供を含んだ観光客たちで賑《にぎ》わうそのサービスエリアを、ほっそりした銀色のとんぼが、何匹もよこぎっていった。

「なつめさんもいっていらっしゃい」

トイレから戻ると、静子が言った。なつめは不思議に思うのだが、静子はきまってそう言うのだ。なつめさんもいっていらっしゃい、と。

「いいえ、私は大丈夫です」

それでなつめはそうこたえる。

静子はなつめの隣に腰をおろした。クリーム色のブラウスに黒いスカート、そこに紫を基調にした、複雑な色合いのモヘアのカーディガンを重ねている。トイレで塗り直してきたとみえ、乾いた唇に真赤な口紅が目立った。大きなガーネットの指輪が、そこに調和している。

使い込んだ、やわらかな革のハンドバッグから、静子はチョコレートをとりだした。なつめにすすめ、自分でも一かけ口に放り込む。道端で、名前のわからない黄色い花と、丈高い枯草とが風に揺れている。

自分たち夫婦に性交渉がないことを、静子に突然言いあてられたのがこの同じサービスエリアでだったことを、なつめはふいに思いだした。結婚して、三年目か四年目の秋だった。ぎょっとして、なつめはついまじまじと、静子の顔を見てしまった。それから自分でも思いがけないほど強い口調で、

「あなたには関係のないことです」

と言ったのを憶《おぼ》えている。

チョコレートをのみ下し、なつめは立ち上がってサングラスをかける。

午後遅く旅館に着いた。例年どおり、おかみさんと番頭さんが歓迎してくれた。全室離れになっているこの老舗《しにせ》旅館は、海からは遠いがしつらえに贅《ぜい》が凝らされている。玄関で靴を脱ぐとき、なつめは、ここの人たちの目に、自分と静子は仲のいい嫁と姑に見えるのだろうかと訝《いぶか》った。

「お疲れになったでしょう？」

部屋づきの係のねぎらいに、静子は、

「あたしは全然。運転してきたのこの人だから」

と、こたえた。そして、赤いかのこのポチ袋に入れた心付けを渡し、持参したワインを、

「悪いけど、お夕食はこれでいただかせてね。アイスノンで包んでは来たんだけど、まだもうちょっと冷やしてちょうだい」
という、高飛車ともとれるセリフと共に一壜《ひとびん》畳に置いた。毎年のことなのでおかみさんに言われていたらしく、係の女性は心得顔でそれを受けとった。この人の、こういうところが苦手なのだ、となつめは思う。なつめはワインにはくわしくないが、アイスノンで冷やすなどというのがまっとうなやり方でないことくらいはわかった。

部屋には専用の露天風呂《ぶろ》がついているのだが、静子は大浴場の方を好んだ。係がさがると早速浴衣《ゆかた》になり、鏡台の前にぺたりと坐ると、化粧を落とし始める。なつめはそれを、ぼんやりと見ていた。ごろんと大きなコールドクリームの壜、静子の指が、その白いクリームをたっぷりと掬《すく》いとるさま、顔じゅうに塗りのばし、口で呼吸するらしく唇が中途半端にあいているさま。鏡にくっつかんばかりに腰を浮かせ、せっせと両手で顔をこすっている静子の背中はとても小さく、前屈《まえかが》みになっているので浴衣ごしに背骨が浮きだして見える。

「じゃあちょっとお風呂いただいてくるわね」

化粧を落とし終ると静子は言い、部屋をでていった。

広い部屋だ。ガラス戸から小さな露天風呂のある庭が見え、床の間にはすすきとわれもこうが、茶花風に竹籠《たけかご》に生けられている。

なつめは携帯電話から夫に電話をかけて、いま着きました、と知らせる。夫のいる場所が、とても遠い場所に思えた。それから荷物をほどき、翌日着るための服を簞笥《たんす》に吊《つる》すと、窓辺の籐椅子《とういす》に落ち着いて庭を眺める。

私は独身女のように自由で、既婚女のように孤独だ。

もう一度、そう考えた。冷蔵庫から水をだして飲み、ガラスのテーブルに足をのせた。

ルイは原宿に住んでいた。情事を重ねたその部屋を、なつめは細かいところまで記憶している。埃《ほこり》のたまったブラインドや、積み上げられた写真雑誌、どういうわけか室内に並べて置かれていた靴と、ぼろぼろの敷き物、好きで買い集めたというアフリカの民芸雑貨。

なつめは、ルイの両親にも会った。両親が日本に遊びに来たときに、レストランで一緒に食事をした。二人ともおおらかな、感じのいい人たちだった。

なつめちゃん。

ルイはなつめをちゃんづけで呼んだ。その呼ばれ方に違和感のないことが、むしろなつめを驚かせた。

なつめちゃん。

ルイの、あのまっすぐな物言いと、屈託のない笑顔。

原宿のあのアパートの狭い寝室は、なつめが夫と暮らす家の寝室とは、全然違う気配がした。いつ替えたのだかわからないようなシーツ、一度もあけられたことがないみたいな窓、そしてまた別の、ぼろぼろの敷き物。

なつめちゃん。

なつめはルイの、長い手足ととびだしたくるぶしが好きだった。

夫はなつめの浮気に気がついていただろう、と思う。仕事を持っていない妻なのに、日々外出した。新しい下着がたくさんふえた。

もうおしまいにしましょう、とルイに告げたのはなつめの方だった。あのまま関係を続けていたら、自分が完全に分裂してしまうと思った。ああするのがいちばん分別のある振舞いだと思えたし、あのころのなつめは、情事を止《や》めさえすれば家に帰れるのだと漠然と思ってもいた。しかし、無論、恋におちるということは、帰る場所を失うということなのだった。

「ああいいお湯だった」

吐息をこぼすみたいな声で言いながら、静子が戻ってきた。つやつやと血色のいい顔をして、湯気の匂いに包まれている。

「お夕食までまだ間があるから、ちょっと散歩にでようじゃないの」

静子は言い、手早く服を身につける。

散歩とはいっても、海岸まで車ででるのだった。山道をおりて国道にぶつかると、一面相模灘《さがみなだ》がひらける。下田方面にすこし下ると、ひと気のない砂浜にでる。

車の中で、静子ははしゃいでいた。

「去年だったか、海草を干してるおじさんがいたじゃない？　あすこへいってみましょうよ」

ハンドバッグからチューブ入りの手荒れ止めクリームをだし、両手にすりこみながらそんなことを言った。

なつめには、海草を干しているおじさんのいた場所というのがどこのことかわからなかった。それでその話は黙殺して適当な場所に車を停め、静子に手を貸して浜に続く石の階段をおりた。海から吹く風がつめたい。潮くさい、と、なつめは思った。もう日が落ちていたのでサングラスはかけていなかったが、あいかわらず薄荷ガムはかんでいた。

「これ、かけられた方がいいですよ」

鮮やかに青いストールを手渡すと、静子は従順に受けとって首にまきつける。絹特有の光沢が、灰色の景色の中でぽつんと浮きあがって見えた。

「波が高いですね」

黒々と濡《ぬ》れた砂浜をならんで歩く。乾いた砂が靴の中に入るのがいやで、なつめは水際《みずぎわ》を歩いた。

「洋一《よういち》も来られればよかったのにね」

旅のあいだに何度となく口にされるその言葉に、なつめは内心苛立《いらだ》ちながら、

「そうですね」

と、こたえる。胸の内に別な男を抱いたまま、ここでこうして静子と海を見ているのは奇妙な気がした。

ルイは、戸籍にはこだわらないと言った。他の男の妻のままでいいから、自分のところに来て一緒に暮らそうと言った。簡単なことだ、と。

それは、でもなつめには難しいことに思えた。大変こみいったことであるように思えた。

ルイと別れて半年になる。喪失感は、なつめの予想をはるかに上まわるものだった。表面的にせよ普通の暮らしをすることに、非常な努力が要るのだった。

記憶――。

ルイとの情事がもたらしたものは、堰《せき》を切ったような記憶だった。自分が誰のものでもなかったころの、恋一つで人生がどうにでもなってしまったころの、本質的な記憶だった。

情事は、しかし終ってしまった。しかも、なつめがそれを終らせるよりずっと前から、おそらく物事は終っていたのだった。

「これ、また洋一に持って帰ってやってちょうだい」

しゃがみ込んで、流木だの貝殻のかけらだのを拾っていた静子が立ち上がり、あどけない顔でそう言った。

宿の夕食には、毎年のことながら伊勢海老《えび》の素揚げがでた。蒸しものだの焚《た》き合わせだの、他にも手の込んだ料理がならび、なつめと静子は持参したシャルドネと共に、ゆるゆるとそれらを味わった。

食事のあいだ、静子はぽつぽつと喋《しゃべ》った。店にくるお客の話や、親戚《しんせき》の娘の話、プロ野球選手の話まであった。静子はプロ野球好きなのだ。昔はよく大学野球を観《み》にいったのだと言う。そんな話をききながら、なつめはウイスキーをのみたいと思っていた。

ルイもワインを好んだ。父親の影響か、なつめはバーボンが好きで、でもそう言うとルイは子供をたしなめるような口調で、それは食後にしなさい、と言うのだった。

「なつめさんは健康な子供だった？」

静子に訊《き》かれ、なつめは話を聞いていなかったことに気づく。

「健康？　ええ、たぶん」

曖昧《あいまい》にこたえると静子は微笑《ほほえ》んで、

「それは何よりだわ」

と、言った。息子が子供のころに大病ばかりした、という、なつめがもう何べんも聞かされた話を、おそらく静子はくり返していたのだろう。長いこと客商売をしている女性だけあって、静子はおなじ話を滅多にくり返さない。戦時中の苦労話も、あったには違いないがなつめは一度も聞いたことがない。それでも、息子の病弱さ加減の話だけは別なのだった。

なつめは、自分がどんな子供だったのか、上手《うま》く思いだせない。本の好きな、地味な子供だったように思う。記憶のなかの自分は、いまの自分よりずっと大人びていたような気がする。たぶんそうだったのだろう。いまの方が余程心細い。

「私と洋一さんが離婚をしたら、お母さま驚かれます？」

自分でも呆《あき》れたが、なつめはふいにそう訊いてしまった。

「べつに驚きやしませんよ」

静子は即答したが、それから真面目《まじめ》な顔つきになり、

「なあに、あなたたちそういうことになってるの？」

と、心配というより好奇心というのに近い気配で尋ねた。

「いいえ」

なつめは言い、にっこりと笑った。

「ごめんなさい、うかがってみただけ」

箸《はし》を持つ静子の皺《しわ》の刻まれた手と、その先の大きなガーネットの指輪をなつめは美しいと思った。

食事がすむと、部屋に備えつけられた小さな露天風呂に二人でつかった。毎年のことながら、なつめはこれに、どうも馴染《なじ》めない。べつべつに入りましょうと提案した方が、いっそのこと気楽ではないかと思いはするのだが、どっちみち風呂は部屋から丸見えであるのだし、わざわざ順番を待つようなのも気づまりな気がする。それで静子に促されるまま、毎年つい一緒につかることになるのだった。

風呂は岩と木に囲まれている。

「ここはいい温泉ですね」

嘘《うそ》にならないように気をつけながら、なつめは自分がたのしんでいることを伝えようとした。

「お湯がたっぷりして、熱くて」

静子も、そうね、とこたえた。

「ほんとうに、洋一も来られればよかったのにね」

なつめは、自分たち二人を滑稽《こっけい》だと思った。そして、ここにルイがいればよかったのにと思った。

風呂から上がると、布団《ふとん》がもう敷かれていた。顔を埋めたら窒息しそうに厚い布団だった。

静子はテレビをつけ、なつめは文庫本をひらいた。電気の笠《かさ》に、虫が一匹入っている。時計は午後十時をさしている。

「ちょっと、でてきますね」

なつめは言い、浴衣《ゆかた》の上に丹前を羽織ると、その上からストールを巻いて部屋をでた。

「あら、どこへ？」

静子の問いかけには、ええ、そこまで、と意味のない言葉だけを返した。

あしたになれば、また静子と風呂につからなければならない。日のあたる畳の上で、化粧をしていない顔をつきあわせ、一緒に朝食をとる。静子はきっと、「お庭の散策」をしたいと言いだすだろう。なつめには、それは目に見えるように想像ができた。自分と静子は、きっとそれを上手くこなすだろう。色の変り始めた木々の下の道を抜け、ステレオからちぐはぐな音楽を流しながら車を走らせるだろう。途中でまた休憩をとり、静子はトイレにいくだろう。東京にさしかかると道が混み始めるかもしれない。のろのろと車を進め、なつめはガムをかみすぎて顎《あご》が疲れているだろう。静子は居眠りをするだろう。そのすべてを、自分たちはきちんきちんとこなすはずだ。

夜の海は、夕方よりもいっそう波が高かった。なつめは砂浜までおりず、停めた車のわきに立って海を眺めた。街灯の間隔があいているので、泡立《あわだ》った波の白さしか見えない。ストールをかけていても肌寒かった。海はもう潮くさくはなく、底知れずつめたい匂《にお》いを運んでくる。

なつめはルイの腕を思いだす。なつめの髪に指をくぐらせるときの仕草や、明快な論理を自分で組み立てて、子供じみた強引さでそれを主張するやり方や、両親や過去の友人たちについて愛《いと》しそうに話す口調や、なつめの中に沈み込むときの、シンプルで性急な動きや――。

なつめは、国道ぞいのディスカウント店でたったいま買ったばかりの、小さな罎《びん》に入ったウイスキーをほんの少し喉《のど》にすべりこませる。強い感触のあとで、とろりとした匂いがひろがる。

ルイを失ったことを思い、とうに夫を失っていたことを思う。煙草《たばこ》に火をつけて深々とすった。あしたはすこし遠まわりをして、白樺林《しらかば》までいってみよう、と考える。宿では笠に虫の入った電球の下で、静子がすでに寝入っているはずだ。

ルイと遠くにいかれればよかったのにね。

なつめは静子の口真似《くちまね》をしてつぶやき、左ハンドルの車に戻る。

住宅地

林常雄《つねお》の働いている運送会社は、住宅地の中にある。東京のはずれの、ここ十年で急速にひらけた街だ。トラック四台に、従業員は社長夫婦を含めて七人。かつては賑《にぎ》やかな下町にあったのだが、十五年前に現在の場所に移転した。常雄は、会社が下町にあったころからの、生え抜きのドライバーだ。

かつては長距離も運転したが、いまはもうしない。

林常雄の仕事は、会社からまっすぐ工場に行き、そこで輸出用の機械部品を積み込んで、本牧《ほんもく》か大井――その日によって違う――の埠頭《ふとう》まで運ぶことだ。単調きわまりない仕事。しかし常雄はそれが気に入っている。

機械部品の工場も、住宅地の中にある。ただしこちらは都心の、閑静な住宅地だ。新緑のころには酸素が濃くなると思えるほどの、これみよがしに豊かな街路樹、古くからある日本家屋と、住人の嗜好《しこう》を映したモダンで派手な新築家屋。誰も彼もが外車と犬を所有しているかに見える。

常雄自身は、かつて会社のあった下町のアパートに、妻と二人で暮らしている。商店街の一角にある、おんぼろだが居心地のいいアパートだ。通勤に便利なように引越したら、と社長夫婦にさんざっぱら言われたが、常雄は頑として引越さなかった。そこでの暮らしが気に入っているのだ。

しかし一方で常雄は、部品工場のあるその閑静な住宅地に、自分でも説明のつかない親近感と愛着のようなものを抱いている。そこにいると心が落着き、のびのびできる気がするのだ。

部品工場には、社長を含めて四人の従業員が働いている。古くからのつきあいである常雄にとっては感じのいい人間ばかりだし、防音壁のすきまからもれる油のにおいも機械音も、常雄にはどこかなつかしい。それがのどかで静かな真昼の住宅地にあるために、なおさら。

常雄は昼すぎにそこにつく。ガレージに車を停め、箱詰めされた荷物を積み込む。ガレージにはたいてい低いヴォリウムでラジオがかかっており、従業員が弁当をつかっていることもある。缶飲料の自動販売機があり、常雄はそのなかのグレープソーダが好きだ。

従業員のなかでも、常雄は都倉《とくら》といちばん気が合うように思う。個人的なつきあいがあるわけではないが、毎日それとなく交わす短い言葉の端々に、古いつきあいの者同士にだけそれとわかる類《たぐい》の、理解と共感のようなものを常雄は感じとっていた。都倉も常雄同様ずっと同じ場所で働いてきた人間だった。それこそまだほとんど子供といっていい年の頃からだ。

もう随分昔に、都倉が結婚したときのことを常雄は憶《おぼ》えている。妻となった女に会ったことはない。どんな女かも知らないし、興味もない。ただ、「結婚したんですよ」と、このおなじガレージにつっ立って、きまり悪そうに、嬉《うれ》しそうに告げた若い男の姿をよく憶えているのだった。

荷物を積み、伝票にサインをしてトラックをだす。しかし目的地である埠頭には、まだ向かわない。遅い昼食をかねた、趣味の時間だ。

常雄には風変りな趣味があった。部品工場からほど近い場所にある私立の中学校の、下校時間に校門からぞろぞろとでてくる生徒たちを眺める、という趣味だ。眺めるのは主に女生徒だったが、男子生徒の中にも綺麗《きれい》な顔つきの子が何人かいて、彼らを眺めることは、女生徒を眺めること以上に常雄の心に安らぎを与えた。

無論、断じて、眺めるだけだ。話しかけたりはしないし、性的な夢想に耽《ふけ》ったりもしない。常雄はただ下校時間にそこにでかけ、校門から道を隔てて反対側の、花やら置き物やら変った形の郵便受けやら、横文字の表札やら椅子《いす》のあるポーチやら、で思い思いに飾り立てられた家々の陰から――あるいはたっぷり茂った街路樹の陰から――、三十分ほど子供たちを眺めるのだった。

それは常雄の知っている子供たち（および中学校）とはまるで違うもののように思えた。だいたい、校門に警備員がものものしく立っていることが奇妙だったし、高い塀に遮られて見えない校庭から届く、テニスボールの音や子供たちの声のあかるさもひどく現実ばなれしていた。そして、そこからでてくる中学生は、一様に幼い。ニュースや新聞記事によれば、最近の子供たちは塾だの受験だの各種習い事だので忙しく、ストレスにさらされているそうだが、ここで常雄の目に映る彼らは、幸福そのものみたいな顔をしていた。

眺めていると、あたたかな気持ちになった。手に持ったパンを、食べることさえ忘れてしまうほどだった。ほんのときたまではあったが、恍惚《こうこつ》といっていい心持ちになることもあった。そういうときには目を閉じて、子供たちの声をききながら、そのあたたかさを全身で味わった。

法律に触れるようなことはしていない、と思ってはいるのだが、常雄はこれが他人に言えない趣味であることを理解していた。だからこそ配送トラックを道端に停めてその中から眺めるという方法はとらなかったし、でかでかと社名のペイントされたそのトラックは、必ず注意深く、離れた場所に停めた。隠すように。

「またいますねえ」

二階の寝室の窓辺で、真理子はシュナウザー犬を抱き上げ、そう話しかける。レースのカーテンごしに、向いの中学校のテニスコートが見える。真下をのぞき込むようにすれば、隣家の門柱の脇《わき》に立っている男の頭が。

毎日おなじ時間に現れる男に真理子が気づいたのは、一月《ひとつき》ほど前のことだった。真理子は自宅でピアノを教えており、レッスンのあいだ、犬を寝室に閉じ込めておく。その日のレッスンを終え、犬をだしてやりに寝室に行き、外を見るとそこに男がいるのだった。男はいつもおなじ、くたびれた青いジャンパーを着ていた。小柄で肉体労働者ふうの身体《からだ》つきをしており、一つ所に立ったまま動かない。気味が悪いので通報しようかとも思ったが、結局のところ、しないことにした。門の内側に入ってくるわけではないし、男の興味の対象が——それが何であれ——道の反対側にあるらしいことがわかったからだ。真理子と健《けん》が去年手に入れたばかりの、外壁がタイル貼《ば》りの小さな家――不動産屋の言葉によれば、静寂の一等地に建つデザイナーハウス――ではなくて。

ただの変態か、そうでなければ何か単純な事情があるのだろう。真理子はそう考えることに決めた。単純な事情というのはたとえば、あの男の子供があの中学校に通っていて、何らかの理由があって会いに行くことはできないが、それでも遠くから見守っているのだ、とか。男は父親というより祖父という方がふさわしい年齢に見えるのだが、あの男が幾つで子を成したかなど誰にわかるだろう。

真理子にはどうでもいいことだった。考えなければならないことは、もっと他にある。

健が浮気をしている。それはもう間違いのないことだった。

それに、このあたりをうろついている不審な人物は、なにもあの男一人ではない。いつだったか真理子は犬の散歩に行こうとして、ちょうどきょうのあの男のように、隣家の門柱の陰に隠れるように立っている老女がいることに気づいた。およそ四十分後に散歩から戻ると、老女はまだそこにいた。

「あのう」

真理子に気づくと、おどおどした様子で向うから話しかけてきた。和服姿で、くしやくしゃになった紙袋を、大事そうに胸元に抱えていた。

「すみません、これ、孫に頼まれたお弁当なんですけど」

丁寧な口調で、恐縮したようにそう言った。

「忘れて行って、電話がかかってきて、十二時十五分に持ってきてくれって言われて。恥かしいから絶対に校門の中に入るなって」

真理子は心底びっくりした。

「でも」

すでに一時をすぎていた。昼休みは終っているはずだ。冬で、晴れた寒い日だった。

「でも、中に入られた方がいいですよ。誰か学校の職員に手渡すとか」

そう言うのが精一杯だった。ほんとうは、さっさとお帰りになった方がいいですよと言ってやりたかった。お弁当なんか食べさせてやることはないです、と。孫はきっと、食堂でパンでも買ったのだろう。

老女は首をふり、困ったように微笑《ほほえ》んだ。

「叱《しか》られます」

真理子はかなしみでいっぱいになった。

いろんな人がいるのだ。彼らは真理子の理解も想像も越えている。

「こわいですねえ」

真理子はシュナウザー犬を床におろして言う。

「みんなろくなもんじゃないのねえ」

女がいるのかもしれない、と思ったのは、まず下着のせいだった。健はそれまで、ひきだしの中の下着を上から順番に、真理子がたたんで仕舞ったとおりの順番に取って身につけていた。それがあるときから、比較的新しいものを選んで身につけていく日のあることに気づいた。水曜日が多いようだった。次に、ボールペンがあった。見慣れないボールペンを使いだしたのがクリスマスの直後で、真理子の疑いは決定的なものになった。まさかそこまで無防備ではないだろうとは思ったが、念のために携帯電話を調べると、甘えた口吻《こうふん》の短いメッセージが二件、消去されずに残されていた。

「いい子ね」

ドアをあけ、犬を廊下にだしてやりながら真理子は言う。大丈夫よ、という意味を込めて。大丈夫よ、パパとママは別れたりしませんからね。

真理子の考えでは、夫の浮気くらいで結婚生活を手放すのは、まったく愚かなふるまいなのだった。

とはいえ、しゃくにさわることは大変にさわる。またか、という気分になる。またか、といっても、健の浮気が二度目だというわけではない。結婚する前に一度、真理子は見知らぬ女を相手に奮闘したことがあるのだ。

真理子と健は見合い結婚だった。見合い場所は、当時鳴り物入りでオープンしたばかりの恵比寿《えびす》のホテルで、そこのフレンチレストランの料理を目当てに、真理子はでかけた。自分がほんとうに結婚することになるとは思ってもみなかった。

それまでにも何度か見合いをしていたが、一度として魅力的な男性の現れたためしはなかった。真理子はとうに、期待することをやめていた。

健は例外だった。あの日――三月六日だ。日にちまで憶えている――、約束に五分だけ遅れて、走ったらしく息をはずませて目の前に現れた健の顔も気配も服装も、そのときの自分の信じられない嬉しさまで、真理子ははっきり記憶していた。

この人と家族になりたい。

真理子はその場でそう思った。それは、いいことばかりを書きならべた下らない身上書のせいではなく、健のさわやかな風貌《ふうぼう》や、ずっとテニスをしていたせいでひきしまった体形のせいでさえなかった。会った途端になつかしさのようなものを感じた、というのが、その後真理子が友人たちに説明する際に、ひねりだした言葉だ。おそらく健の性格のよさ、のようなもの、わかりやすさ、のようなもの。

デートを重ねるにつれて、真理子の気持ちはさらに強まった。健は快活でやさしく、真理子が驚き感動したことには、スープも音をたてずに呑《の》むことのできる男だった。

しかし、その健から、ある日一通の手紙が届いた。便箋《びんせん》八枚におよぶ長文の手紙で、苦労して言葉を選んだらしく、あちこちに修正液の跡があった。健には恋人がいたのだ。恋人がありながら見合いをしたという非常識（実際のところそれはそう非常識なことでもないと真理子は思ったが）について健はまず詫《わ》びて、真理子の笑顔やしっかりした物の考え方、たのしそうに物を食べるところや礼儀正しさに惹《ひ》かれてつい何度も会ってしまったこと、それが次第に自責の念となって自分を苦しめていること、このままでは真理子にも恋人にもすまないと思い、つらいこと、などが書き連ねられていた。

真理子は慌《あわ》てなかった。この男は性格がよすぎる、と思っただけだった。そして、その男をあきらめるつもりはなかった。真理子はすぐに返事を書いた。便箋二枚にぴったりおさまる文章で、修正液など——そもそも持っていなかったのだが——使うまでもなく。

自分に謝ったりしてくれる必要はない、と真理子は書いた。知らなかったこととはいえ、健につらい思いをさせて申し訳なく思っている、とも。「その方と先に出会っていらしたのですから仕方がありません。お幸せをお祈りします」。そして、「それでは私を愛人にするのはどうでしょう」。

健は学生時代からつきあっていた恋人と別れ、真理子と結婚した。

「まったくねえ」

犬を抱いて階段をおりながら、真理子はまるくあたたかな犬の頭に唇をつける。

「パパは困ったちゃんですねえ」

今度はどんな方法で、健をとり戻せばいいだろう。自分以外に健の理解者はいないのだとわからせ、目をさまさせてやらなければならない。

真理子は健が好きだった。ずぼんのチャックを閉めておけない男だとしても、どうしても、やっぱり、好きだった。北欧風のインテリアでまとめたリビングルーム――中央に白いピアノが置かれている――に立ち、真理子は寒さにも似た孤独を感じる。

ここが「静寂の一等地」だなんて大嘘《おおうそ》だ、と、腹立たしい気持ちで考える。家の前の道路は交通量が多く、夜中でもバイクやトラックが通る。たしかに緑と豪邸は多いが、「一等地」らしいのはその点だけだ。一体なぜ住宅地の中にそんなものがあるのか真理子には想像もつかないが、近くに古びた工場まであるのだ。がらの悪そうなおじさんたちが、ときどきガレージにたむろしている。でも、最悪なのは中学校だった。

チャイムやら校内放送やら子供たちのかまびすしい声やらが、夕方まで聞こえる。その上、道徳心など持ちあわせない彼らは、駄菓子の袋や空き缶や、買い食いしたソーセージの切れはしなどを、道路や他人の家の植込みに捨てていく。

「袋はともかく、食べ物はやめてほしいのよね」

真理子は健に、そうこぼしたことがある。

「だって、散歩のときこの子が先に見つけると、喜んで食べちゃうんだもの。身体に悪いでしょう？」

健はとりあわなかった。

「中学生なんてそういうもんだよ」

真理子がうんざりするのは、正面の中学校が健の母校でもあるせいかもしれない。

日ざしが傾き始めている。

一時間ほどピアノを弾いた。冷静に対処すればきっと大丈夫。自分にそう言いきかせる。

健は健の父親同様、眼科医をしている。この家から車で十分ほどの場所にある父親の病院で、「若先生」として働いている。ほんとうはいますぐ呼び戻し、女について問い詰めて、頰の一つも叩《たた》いてやりたかった。それですむならどんなにいいだろう。

そんなことをすれば健がすぐに逃げだすことが、真理子にはもうわかっている。苦痛に耐えられない男なのだ。他人に対してばかりではなく、自分に対しても性格のよすぎる、やさしすぎる男なのだから。

認めたくはなかったが、真理子は自分を、いつか見た老女とおなじだと思った。

真理子は今夜の夕食に、健の好きなロールキャベツを作るつもりでいる。水曜日。健は気に入りの下着を身につけてでかけていた。

一日の仕事を終え、工場の前で煙草《たばこ》を喫《す》う時間が、都倉和一《かずいち》は好きだった。鼻からしずかに吐きだした煙が、夕方の空気にゆるゆるととけていく。ラジオからは、歌謡番組が流れている。向いのマンションの庭に植えられたクチナシが、甘い香りをただよわせている。

いままでにも何度か見かけたことのある女が、やはり何度か見かけたことのある、灰色の犬を連れて歩いてきた。若い、小ぎれいな女だが、和一の好みからすると痩《や》せすぎており、そのせいか、なんとなくとげとげしい感じがする。

「かわいいね。何ていう種類の犬？」

そう声をかけたのは、だから単に犬がかわいかったからだ。和一の家にはマルチーズがいる。

「ミニチュア・シュナウザーです」

女は立ちどまり、長い髪を片手でうしろに払いのけると、意外にもにっこりと微笑んだ。

「へえ。どのくらいしょっちゅう洗うの？ 洗うのはやっぱりトリマーんとこなんでしょ」

問うと、今度は女の方が意外そうな顔をした。

「うちにも小さい犬がいてさ、女房がかわいがってるの。月に一回トリマーんとこに連れていくんだけど、一回四千円だって」

女は納得したらしくうなずき、

「高いですよね。うちで行ってるところもだいたいそのくらい」

と、こたえた。

「俺の散髪なんて千二百円なのにさ」

和一が言うと、女はうふふと声をだして笑った。見かけほどとげとげしい性格ではないのかもしれない。

和一にはそれ以上話すこともなかったのだが、女は立ち去らず、わずかに首をかし

げて和一を見つめたあと、何を思ったのか、

「奥さまはきっとお幸せですね」

と、言う。

「いやあ、どうかねえ」

和一の言葉に女はまた微笑んで、軽く会釈《えしやく》をし、Tシャツを着せられた犬と一緒に歩き去っていった。

「都倉さん、ナンパ？」

ガレージにいた後輩にひやかされた。

「まさか。趣味じゃないよ」

和一は言い、フィルターぎりぎりまで喫ってしまわないよう心掛けている煙草を、水をはったバケツの灰皿に捨てた。ポケットの小銭を探り、自動販売機の前に立つ。

「まったく。こんなかにあるものでまともなものは、お茶だけだな」

缶飲料に含まれる砂糖の量について、和一の妻はとてもくわしいのだった。

どこでもない場所

長い旅から戻った友人と、ひさしぶりにいつものバーでお酒をのんだ。店には私が先についていたので、あとから入ってきた彼女を抱擁で迎えた。私たちが会うのは一年ぶりだった。

元気そうね、元気よ、旅はどうだった、お姫さま気分だったわ、それどういうこと、内緒よそんなの。

そんなふうに言いながら、奥のソファ席にすわった。壁にとりつけられた鏡、仕切りがわりの鎖、あちこちに揺らめくキャンドルの焔《ほのお》。この店は私に、ジェラール・フィリップのでていた白黒映画——部分的に彩色されていた——のお城を思いださせる。あやしいがエレガントで、不気味というより懐《なつ》かしい感じ。

私たちはスパイスで甘く味つけされた、ドラキュラの血という名前のリキュールをたのんで乾杯した。

「それで？　あなたはどうしてたの。この一年この街で」

友人は煙草《たばこ》に火をつけて、煙を吐きだしてからそう訊《き》いた。中指に、人目を引くほど大きなトパーズの指輪をつけている。昔から変らない、彼女のトレードマーク。

「べつに。会社に行って、働いて、帰って、夜遊びにでて」

夜遊びといっても、歩いて十五分のこの店に来て、一、二杯のんで帰るだけだ。

「光司《こうじ》くんは？」

「いるよ。いまはうちで寝てる」

友人は小さく笑い、そりゃあいるでしょうよ、と、言った。

光司は小学校四年生になる私の息子だ。父親不在で育てているにも拘《かかわ》らず、いい感じに育っていると思う。

この一年、ほんとうはいろいろなことがあった。でもそれは指で砂をすくうみたいに、すくうそばからこぼれていき、あってもなくてもおなじことに思える。日常というのはそういうものなのかもしれない、と、最近は考えるようになった。

いまだってそうだ。問題はつねに山積している。光司の父親はつまり私の恋人だが、最近あまり家に寄りつかない。私と光司の存在が重荷なのかもしれない、などと考えるのは大変気の滅入《めい》ることだ。光司は父親よりも叔父、つまり私の恋人の弟の方によくなついている。高校の体育教師をしているその弟は、すこし前に私にプロポーズをした。肉体関係もないのにプロポーズをするというのがそもそも間違っている気もするが、彼は実際よく光司のめんどうをみてくれるし、家族まがいのつきあい方をしているうちに、子供が寝たあとで二人で酒をのんだり、しみじみ話していてつい手を握りあったりキスをしたりしたことも、ないとはまあ言えないわけだから、仕方がないと言えばないのかもしれない。

いなかで独り暮しをしている私の母親の行く末、という問題もある。我家のトイレの天井が傷《いた》んでいて、強い雨が降ると雨もりがする、という問題も。床にボウルを置いてしのいでいるが、ビニールのようなものでコーティングされているように見える天井は、つねにずぶずぶと水を含んで波打っており、一部はめくれあがり、黒カビが生えてひどい有り様になっている。直してくれるよう大家さんに言わなくてはならないが、修理の人を呼ぶには昼間会社を休んで家にいなければならず、それを考えるとつい億劫《おっくう》になって先のばしにし、そろそろ半年がすぎるところだ。

ざっと考えてもこれだけの問題があるのだ。この一年どうしてた、と訊かれても、簡潔にこたえることはできない。あるいは、こたえたくなんかない。

「龍子《たつこ》は？　向うで仕事、順調だった？」

「まあまあ」

と、友人はこたえた。

「帰る前にいっぱいお買物をしたの。この靴もよ。いいでしょ」

うすい茶色の、ハードなデザインのショートブーツだった。

「中東で？」

テレビ局のディレクターを務める龍子は、特別番組を作るために半年中東に滞在していたのだ。

「パリよ」

彼女はこたえた。

「パリ経由で帰ってきたの。そのくらいの御褒美《ごほうび》、あってもいいでしょ」

そばにいる人間もつい一緒に微笑《ほほえ》んでしまわずにいられない、彼女独特の愛くるしいやり方でにっこりすると、龍子はリキュールをがぶりとのんだ。

私と龍子は同郷で、別の高校に通っていたが、アルバイト先で知り合った。町の中心を川が流れる、のどかで退屈な地方都市だった。下着専門店の店員という、いっぷう変ったアルバイトだった。龍子はきわめて優秀な店員で、私はそこそこの店員だった。

「あら素敵。とおってもお似合いになります。私が御主人だったら惚《ほ》れなおしちゃう」

龍子はたとえばそういうことを、すらっとお客に言えるのだった。一方で、お客がある商品をどんなに気に入ろうと、

「絶対だめです。お客様の胸のかたちに、そのブラジャーは合いません」

と、断固として言うこともできた。高校生のくせに。その店は龍子のお母さんの店で、龍子はごく小さいころから、母親の商売を見て育ったのだ。

「また恋をしちゃった」

つまみのチョコレートを一つ口に入れ、嬉《うれ》しそうに龍子は言った。

「パリで？」

「違う。シリアで」

シリア。その国の名の、あまりにも遠い響きに私は一瞬途方に暮れてしまう。知らないもの、想像のできないもの、この先おそらく知ることがないであろうもの、は、いつも私を困惑させるのだ。

「だって、半年もいたのよ」

なにが「だって」なのか、龍子はそう言った。龍子ほど恋の多い人を、私は他に知

らない。

「肉欲に溺《おぼ》れた？」

「溺れた」

龍子は言い、また愛くるしくにっこりした。

場所はシリアだったが、相手は日本人だったという。織物を輸入する個人事業主で、シリアが大好きな、四十代の独身——嘘《うそ》だと思うけど、と龍子は言った——男性。この半年、私が天井の雨もりや恋人の不実や、恋人の弟のプロポーズや、息子の健全な成長や、母からかかる長い電話や、種々雑多な日常の問題に右往左往しているあいだ、龍子はシリアで仕事をし、仕事が終ると夜な夜な個人事業主と街をそぞろ歩き、あやしげな店で水パイプというものを喫《す》い、ホテルで肉欲に溺れていたという。

龍子には龍子の物語があるのだ。

「なんていうか、別世界みたい」

暗いバーの隅で、ソファにもたれて私は言う。そばにあったクッションを、なんとなく抱きかかえながら。

「私から見ると奈々《なな》ちゃんの生活の方が別世界だよ。なんて言ったって、愛する男の子供を産んだわけでしょう？　それって驚異。下着ひとつ満足に売れなかった奈々ちやんがねえ」

「満足に売ったわよ、下着。私、あの店の下着好きだったもの。いまなら珍しくないけど、コレールとかシバリスとか、地方都市とは思えない品揃《しなぞろ》えだったよね」

愛する男の子供。その言葉に勝手に動揺し、私はにわかに饒舌《じょうぜつ》になる。

「お母さん、お元気？」

また別の物語。私たちがずっと昔にでてきてしまった町で、いまも生きている人々。龍子のお母さん、お父さん、弟とその嫁、亡《な》くなったおばあさん。

龍子のトパーズの指輪は、おばあさんの形見だという。

「元気よ。お店は弟の奥さんが手伝ってくれてるの。あいかわらず高校生のバイトも一人雇ってる。あの人高校生を教育するのが好きみたい」

私は目を閉じた。かつて住んでいた町の、空気や通りや店や川や、きれいな緑の柳並木がまぶたを流れる。でもそれはほんの一瞬だ。目をあければそこはいつもの薄暗いバーで、誰一人として過去や家族や郷里なんか持っていないみたいな顔をして、みんなお酒をのんでいる。私はときどき不思議に思うのだが、私たちがいまここでお酒をのんでいるこの瞬間、たとえば光司が眠っているマンションや、たとえば下着屋のあるあの町や、たとえばシリアという国が、ほんとうにこの世のどこかに存在しているのだろうか。

「シリアの個人事業主って、帰国しないの？」

私は訊いた。龍子は恋の多い人だが、私の知る限り愁嘆場を演じたことがない。いつのまにかさっぱり別れ、いつのまにか次の恋をしている。

「するよ。三カ月に一度くらい帰ってくるみたい。たぶん会うと思うけれど、こっちで会ったら、もう友人だろうな」

しずかな口調で、龍子は言った。

「肉欲に溺れたのに？」

「旅先のことだもの」

私たちは、しばらく黙ってそれぞれののみものを啜《すす》った。

「お姉さまがた、お元気？」

この店の常連客の一人が、突然ソファ席に移動してきてそう言った。いつも女性言葉を使う、がっしりした体格の男性で、前に名前を聞いたはずだが忘れてしまった。ここでは、一人でやって来てカウンター席にすわる客――私も普段はその一人だが――の顔ぶれがきまっていて、この場だけの、奇妙な仲間意識で親しげに言葉を交わす。決して個人の領域に立ち入ることのない礼儀正しさと、領域など存在しないかのような率直さをもって。

「もちろん元気よ」

にっこり笑って龍子がこたえ、

「そっちじゃなく、こっちにすわりなさいよ」

と言って、自分の隣をぱんぱんとたたいた。

「はあい」

ダークラムの入ったグラスごと、男は龍子の隣に移動する。

もちろん元気よ、とこたえたのは龍子だったが、もちろん元気よ、としかこたえよ
うのない場所だから私たちはここが好きなのだ、ということに、私はふいに気づいた。

あらためて乾杯をする。見回すと、私たちの他に客はいなくなっていた。

「敏也《としや》さんもこっちに来れば？」

私は店の雇われマスターを呼んだ。

私たちはいままでの三十分間のことを、名前も思いだせない常連客と敏也さんにざ
っと説明する。龍子と私が昔からの友人同士であること、彼女は仕事で半年中東にい
たこと、だからきょうはひさしぶりに会ったのだということ。

「この靴をパリで買ったの。素敵でしょ」

龍子は律儀《りちぎ》にもう一度そう言う。男性は二人とも、とても素敵だと認めた。

「シリアって遺跡があるのよね」

「そうそう、パルミラとか、アレッポとかね」

「砂漠なんだっけ？」

「そうそう、バグダッドカフェよ」

四人分の、知識と想像と感想と連想。羊を食べるのよね、それでミントティ？ ほらあの映画でもそうだったじゃない、サントラある？ かけてかけて。でもお酒は？ だめよ、イスラムの国だもの。イスラムっていえばこないだ僕の友達が——。

名前を思いだせない常連の男性は、猫を二匹飼っている。いつだったかそう聞いた。猫の名前はムウとタスケだ。それは憶《おぼ》えている。マンションのベランダで二十種類のハーブを育て、それを使って料理をつくるのが実益をかねた趣味だという。さっきは私たちをお姉さまがたなどと呼んだが、年齢《とし》は私たちより上だろう。手の込んだ手編みのセーターを着ている。自分で編んだのだ。彼はここでも、ときどき編みものをしている。

龍子が最新の恋の顚末《てんまつ》を簡潔に説明し、男性二人はまるで観《み》おわった映画の感想を述べるみたいにあかるい過去形で、それは素敵だったわね、というようなことを言った。過去形という点だけが、龍子の靴と恋との差というわけだった。

そのことで龍子が解放的な気分になっていることがわかった。

「奈々ちゃんはないの？　旅先の恋」

ある。

光司の父親とは、旅先で出会ったのだ。龍子はそれを知っている。

「うふふ」

いまとなっては、それを自分の中で甘やかな思い出に分類していいのかどうか、わからなくなっているというのに、旅先の恋、という言葉だけから遠いことを思いだし、私は気がつくとしのび笑いしていた。

「教えない」

と、言ってみる。三人は礼儀正しくひやかしてくれる。どうしてー、とか、けちー、とか。語尾をのばす大人は、ばかか優しいかのどちらかだ。

「どこに旅したときのことかくらい教えてよ」

「どんな男かってことだけでいいから」

「あと、年齢。奈々ちゃんが幾つで、相手が幾つだったかね。あ、どこの国の人かも」

もったいをつけるみたいに、訊かれたことにだけ、ぽつぽつと私はこたえた。フロリダ。長身痩軀《そうく》の、長髪の男性。私が二十二で、向うは二十九。日本人。それは全部ほんとうだった。でも、口にしたとたんに現実とは全然ちがうロマンティックな出来事のように、四人の囲んでいるテーブルの上に立ち現れた。

「素敵」

敏也さんが言った。それが恰好《かっこう》悪くもディズニーランド目あての卒業旅行だったことや、長身痩軀の二十九の男がいまは痩軀でも二十九でもなく、私以外の女と結婚して子供を儲《もう》け、私とのあいだにできた子供の養育費さえ出し渋っている、といったことは、私の語った旅先の恋にとっては全然とるにたりない、瑣末《さまつ》なことだ、という気がした。俄然《がぜん》。

「うふふ」

私はもう一度笑った。その声音は、嬉しくてたまらない、というふうに響いただけじゃなく、実際に私をそういう気持ちにさせた。嬉しくてたまらないみたいな気持ちに。

「僕は昔、オーストリアで恋をしたよ。オーストリアの、貴族の血をひく美しい人妻と」

敏也さんが言った。この人は年齢不詳で過去も不詳、現在の生活状況も不詳で、若い頃世界じゅうを放浪していた、ということだけが、写真や他の人の証言からあきかになっている人なので、そういうこともあったのかもしれない。

「いつごろ？」

ラム酒の男が訊《き》き、

「肉欲に溺れた？」

と、龍子が訊く。そういうことが確かにあったのかもしれないし、勿論《もちろん》、もしかしたら嘘かもしれない。どちらでもおなじことだ。

「そりゃあ溺れたよお。首の細い女の人で、俺、その首が好きでさあ」

テーブルの上に現れた物語は、いまそれぞれが抱えている物語よりずっと色も鮮やかに、生気を帯びていく。

「俺まだ若かったし金もなかったから、逢引《あいびき》するのも汚い宿屋だったけどね」

グラスがあけば、敏也さんが身軽に席を立ってお代りを作るので、私たちはみんな随分と――せっせと、と言いたいような着実さで――それぞれのみものを摂取・消化・吸収した。ときどきトイレにも立った。

時計は、深夜一時になろうとしていた。

「きょうはもうお客来ないかなあ」

ぼやく口調で敏也さんが言った。

「お腹《なか》すいたな。何か食べようかな」

うどんとかチャーハンとか、ここはバーなのに、深夜になるとときどき深夜食がでてくる。

「牛どん食べたいなあ」

ストレートのラムを七、八杯のんだはずなのに、ちっとも酔っていないように見える男が言い、

「じゃ、でかける？」

という敏也さんのひとことで、私たちは終夜営業の牛どん屋にいくことに決まった。深夜一時に。恋人でも仕事仲間でもない四人組で。

「待って、待って。シャンペン持って来るから。だめかな、持ってっちゃ」

「いいんじゃない？　おいしいお酒がないとごはんっておいしくないもの」

あわただしくコートやら手袋やら襟巻やらを身につけ、私たちは外にでた。私たちのよく知っている、現実の街に。

「寒ーい」

冬の都心の夜の匂《にお》い。こんな時間でもタクシーはたくさん走っているし、人々もまだ歩いている。

「嬉《うれ》しーい」

龍子も私もはしゃいで、口々に言った。私たちは四人とも、たったいま店の中でみんなでつくった物語の中にいた。物語の空気ごと、現実の街にでていた。

私は、今夜家をでる前に食べてきた、鶏《とり》のささ身フライとお茶漬けとお新香、という夕食を記憶の彼方《かなた》で思い浮かべた。他人の夕食のように感じた。龍子はきょう、会社の上司に帰国祝いの中華料理をごちそうになって来ているはずだった。でもそれはおそらく、別な龍子が食べたのだろう。

牛どん屋は蛍光燈がついていて、可笑《おか》しいほどあかるかった。敏也さんは仕事帰りによくここに寄るらしく、店の人は眉《まゆ》を露骨にしかめながらもシャンペンの持ち込みを許可してくれた。

「こんなあかるい場所で奈々ちゃんを見るのはじめて」

敏也さんが言い、逆も無論そうだったので、私はなんとなく照れくさくなった。小説や映画の、登場人物と会っているような感じ。あるいは、旅先にいるような感じ。ここをでれば、私たちは私たちの場所に帰るだろう。猫や息子や、鉢植えや洗うべき食器や、母親からの電話や公共料金の請求書や、プロポーズが宙に浮いたままの男やシリアの男からの連絡や、その他さまざまなものの待っている場所に。でも、それらは全部、昔々の旅先の恋みたいな、遠い、架空の出来事に思える。いま、ここでは。

私は陽気さに身をまかせた。シャンペンのグラスをかかげ、

「フロリダに」

とにこやかに言った。

「シリアに」

龍子が言い、

「オーストリアに」

と、敏也さんが言った。すねた表情をつくって、

「じゃああたしは、どこでもない場所に」

と言った男性の名前を、そういえばまだ私は思いだしていないということに、気づいて愉快な気持ちになった。幾つもの物語とそこからこぼれたものたちを思いつつ、私はグラスをかぱりと干した。

手

指輪がすぐにすとんと抜け落ちるので、不審に思って自分の手を眺めた。手が痩《や》せたな、と思ったら、それは痩せたのではなくて、皮膚の脂《あぶら》が抜けて以前より薄く小さくなったのだった。乾いた葉っぱみたいに。

「年をとったのね」

電話で妹にそう告げると、妹は笑った。

「気にしすぎよ。レイコちゃんまだ三十七じゃない。指輪が抜けるなら、サイズを詰めてもらえば？」

日曜日。妹はこれから好きな男に会いにいくのだと言った。だからそんな話を聞いている暇はない、とは言わなかったが、そういう気持ちだろうと私は想像した。

「つめたいのね。この世でたった二人きりの姉妹なのに」

この世でたった二人きりの姉妹、は、生前、母が好んで使った言いまわしだ。

「いいじゃないの」

妹は言った。

「手だろうと何だろうと、痩せたなんてうらやましいわ」

私はため息をついた。

「そういう問題じゃないのよ。なんていうか、あまりにも色気のない生活をしていることが問題なんじゃないかと思うのよ」

もう昼に近いが、私は三十分前に起きたばかりで、まだバスローブを着ている。電話をしながら、キャバリエ犬のヘンリーを、後ろ足で立たせて後ろから抱きかかえるようにして、消毒していた。

「いまだって、私が何をしてると思う？　ヘンリーの性器の消毒よ、消毒」

「ヘンリー！　ヘンリーくん！」

受話器の向うから、妹は高くあかるい声をはりあげる。

「やめてよ、ヘンリーが興奮しちゃうじゃないの。暴れると上手《うま》く消毒できないわ」

あの獣医、と、私は低くののしった。

「失礼しちゃうわよ、うちのかわいいヘンリーを、性器の成長が不十分だって言うのよ。皮におおわれていると不潔になるから、毎日二回消毒して下さいって」

妹は笑いながら、

「いいじゃないの、してやれば」

と言う。

「冗談じゃないわよ。なんだか幼児虐待《ぎゃくたい》しているみたいな気分だわよ、こっちは」

だいたいね、と言いかけたところで妹に遮られた。

「たけるくんに電話しなさい。レイコちゃんに必要なのはああいう男よ」

私は天井を仰いだ。

「はい、よし」

ヘンリーに言い、彼を解放した。

「どうしてたけるなのよ」

心外だった。

「そこまで落ちぶれてないわよ」

憂鬱《ゆううつ》になり、電話を切った。

コーヒーをつくり、バスタブにお湯をためる。肌寒い日曜日だ。四月だというのに雪でも降りだしそうな曇り空だし。

なにもかも、上手くいかなくなっている。そのことに気づきたくはなかったが、気づいてしまった。注意深くしていたのに。

私は思うのだけれど、注意深くするのは愚かなことだ。当然だ。誰かを好きになったら注意など怠り、浮かれて、永遠とか運命とか、その他ありとあらゆるこの世にないものを信じて、さっさと同居でも結婚でも妊娠でもしてしまう方がいいのだろう。

コーヒーをのみながら、私は妹の知らない男について考えている。

かつて輝かしい恋をした。

でもそれは、それだけのことだ。

冬みたいに重く寒く陰鬱《いんうつ》な曇り日だが、お風呂《ふろ》に桜の入浴剤を入れた。狭いアパートの、狭くうす暗い浴室に、まがいものの春の匂《にお》いがたちこめた。

灰味がかったうすい藤色の湯に身体《からだ》を沈め、私は自分の重みを感じた。

去年、母が死んだ。父は私と妹が小学生のころに死んでいた。母を見送るのはかなしいことだった。とてもかなしいことだったが、墓地に母を納めると、私はこれで自由になった、と感じた。自由とは、それ以上失うもののない孤独な状態のことだ。

夏で、墓地は緑が濃く、厚ぼったく、私には息苦しいほどだった。隣には、かつて二人で輝かしい恋をした、その男がいた。私たちはそのときすでに、別れて二年経《た》っていたのだが、男はどこでどう聞いたのか、きちんと喪服を着て、私が泣きだすときのために横に立っていてくれた。私は泣かなかったが、彼がそこに立っていてくれて嬉《うれ》しかった。

伸びすぎた髪が額にはりつくのをじゃまに思いながら、私は浴室の小さな窓をあける。つめたい空気が流れ込んできた。いい年をして、過去の男に拘泥《こうでい》するなんてほめられたことじゃない。とりとめのない回想が淋《さび》しくなり、私はざばりと音をたててバスタブからでる。ヘンリーにドッグフードをやらなくてはならない。

ヘンリーが、現在の私の唯一《ゆいいつ》の家族だ。三年前に、男と別れた直後に買った。自転車で十五分の場所にある事務所にも、毎日連れて行っている。

午後は本を読んで過ごした。仕事のない日、私はいつも時間をもて余してしまう。

「散歩にいく?」

ヘンリーに言い、近所を歩いて戻った。

朝から何も食べていなかったことに気づき、スクランブルエッグを作っていると、呼び鈴が鳴り、たけるが立っていた。

「冗談じゃないわよ、何の用?」

顔をみるなりきつい調子になったのは、恥じ入ったからだ。

「恭子ちゃんから電話もらって」

さっさと靴を脱いで上がり込みながら、たけるは言った。

「レイコが退屈してるって言うからさ」

大きな袋を二つ、下げている。

「それで斡旋《あっせん》されて来るなんて、随分暇なのね」

暇じゃないよ、と、たけるは言った。ふり向いて、私の顔をまっすぐに見て。

「でもほら、チャンス、ってわけだから」

一瞬人を困惑させ、すぐに茶化してうやむやにする。たけるはいつもそうだ。こういうのはやさしさじゃない。もっと別の女の子にすればいいのに。

「しずかにしなさい」

私は苛立《いらだ》ち、興奮してぴょんぴょん跳ねているヘンリーを叱《しか》った。

「跳ねちゃいけないのよ、あなたは。腰の弱い犬種だから跳ねさせないで下さいって獣医さんに言われてるんだから」

ヘンリーにというより、たけるに文句を言っている感じになった。たけるは心配するふうもなく、

「変わった獣医だな」

と、言った。

たけるとは学生時代に知り合った。「友達」が「肉体関係を含んだ友達」になり、またそれなしの「友達」になったが、一度として「恋人」にはならなかった。そういう関係の男だ。製菓会社に勤めている。私に恋人がいようといまいと、また、自分に恋人がいるときでさえ、ふいに電話をかけてきたり、こうして押しかけてきたりする。妹の恭子は、それをたけるが私を好きなせいだと考えているのだが、そうではなく、こういう性格の男なのだ。

おでんを作る、と、たけるは言った。きんきんに凍らせたウォッカを持ってきたから、一緒におでんを食べてウォッカをのもう、と。

「おでんとウォッカ？」

へんな組み合わせだと思った。たけるそのものみたいにへんな組み合わせだ。

「いまスクランブルエッグを作ったとこなんだけど」

抗議したつもりだったが、期待したほど断固とした調子には響かなかった。

「それはヘンリーの夜ごはんにしよう」

たけるが言い、私は目をくるりと動かしてみせる。

「冗談じゃないわ。そんなのヘンリーには脂っこすぎるわよ。体重がふえると腰に悪いんだから」

たけるは笑った。

「レイコは融通がきかないな」

たけるのおでんは、しかしひどく時間がかかった。すじ肉でだしをとるのだと言う。

「そんなのくどそうだわ」

私は遠慮なく物を言った。

「おでんのだしは昆布とおかかに決まってるのよ」

自分で作ったこともないくせに、私は断言した。すくなくとも、去年死んだ母はそうやっておでんを作っていた。

部屋の中じゅうあたたかな匂いがしている。私は居心地が悪くなり、たけるがつけていたテレビを消した。

「なんで消しちゃうんだよ」

「うるさいんだもの。テレビは好きじゃないの」

たけるは菜箸《さいばし》を持ち、ステンレスの鍋《なべ》――レイコ土鍋も持ってないのか、と、たけるはおどろいたのだったが――の横に、番人みたいにはりついて立っている。

「じゃあなんでテレビ持ってるんだ?」

ほんの数秒考えこみ、

「ビデオで映画をみるためよ」

とこたえたら、笑われた。

夕方だ。手料理の匂いは苦手だ。私は居間の窓をあけ、すぐに失敗に気がつく。手料理の匂いも私を不安な心持ちにさせるが、それが夕方の住宅地の匂いと混ざると、さらに心細い気持ちになる。ベランダにでたら動けなくなった。

随分遠くまで来てしまった、という気がした。遠くまで来てしまって、どこにも戻ることができない、という気が。

ベランダからみる室内は電気がついていて明るく、湯気も匂いもあり、私の部屋のようにはみえない。おまけに、好きでもない男が台所に立っているのだ。

私は妹を呪《のろ》った。子供じみたことではあるにせよ、私はかつて料理をしている男をいまも愛している。かつて愛した男と共に生きていたころの自分のまま、暮らしていたいと思っている。それを孤独と呼ぶのなら、孤独万歳、と、言いたい。

おでんはたしかにおいしかった。

とろりと冷えたウォッカは、すばらしくそれに合った。私は、気持ちとは別に単純に身体が、あたたかくやわらかくなるのを感じた。

「どうもありがとう」

それで、そう言った。

「百年ぶりみたいなごはんだわ」

たけるに、一体どうしてそれがわかったのかわからない。でも彼にはその瞬間にわかったのだ。それで、

「わかってる」

と、やや自嘲《じちょう》ぎみに言った。

「大丈夫だよ。わかってるから」

それからウォッカを両方のグラスにとぷとぷと注ぎ足し、

「でもさ、予期せぬことにわずらわされた方がいいだろ、たぶん」

と、言った。

私にはそれは、でもよくわからない。

たとえば今夜ここでたけると身軽に、そして曖昧《あいまい》によりそうことと、意地でもそうしないこと――私には、自分が意地でもそうしないことがわかっているが――の、どっちがより子供じみたふるまいで、どっちがより淋しいふるまいなのだろう。

食事がすんでも、私たちはウォッカをのみ続けた。ときどき喉《のど》が渇き、喉が渇けば

ビールをのんだ。

「昔話とか、始めないでね。学生だったころのこととか、昔の女の話とか」

私が言うと、たけるはひっそり微笑《ほほえ》んで、

「注意深いな」

とこたえた。そのとおり。私は胸の内でつぶやく。

「やっぱりテレビつけようぜ」

だめ、と、即答した。沈黙が訪れる。

たけるが帰ったら、と、私は考える。たけるが帰ったら部屋の空気を入れかえて、もう一度お風呂に入ろう。それから妹に電話をして文句を言おう。いつもの調子をとり戻すために。

「気づまりだな」

たけるが言った。

「そう？」

意に反して、心臓が早鐘を打ち始める。まるで、男の人と二人で食事をすることがはじめてでもあるみたいに。たけるの一挙手一投足に、ほとんど全身の神経が集中してしまう。

「手がひからびたみたいなの」

緊張に耐えかねて、私は思わずそんなことを言った。

「みて。乾いた葉っぱみたいでしょう？」

片手をつきだし、指をいっぱいにひろげた。そして慌《あわ》てて引込めた。手はつやつやで、血色がよかった。

「そうか？」

たけるは言い、皿に残っていたつみれを、立ち上がるついでみたいにヘンリーに放った。

「ちょっと」

私も立ち上がり、文句を言いかけたところで乱暴に抱きよせられた。動揺し、足が震えていて我ながら呆《あき》れた。たけるの腕が私の頭を抱き、私の目も鼻も口も、たけるの胸におしつけられている。

くつくつと笑いが込み上げてきた。私は自分が泣きだしたのではないかと怯《おび》えたが、そうではなく、笑っていた。

「おでん、おいしかったわ」

玄関で言い、たけるを見送った。

それから、さっき考えたとおりのことをした。部屋の空気を入れかえ、そうしながら台所を片づけて食器を洗い、あきたらずに掃除機もかけた。着ていた服を下着まで全部洗濯機に入れ、洗濯機をまわしながらお風呂に入った。

妹に電話をかけて、文句を言った。

「予期せぬことにわずらわされちゃったわよ」

妹は笑っていた。肌寒い、春の、日曜日のことだ。

号泣する準備はできていた

朝、電話で隆志《たかし》が、私のでてくる夢をみたと言う。二人でクリスマスツリーを買う夢だったと言う。

「でもそのツリーが変なの。木がなくて電飾だけなんだけど、青一色の、こまかい、きれいな電飾だった」

と。

私はたぶん泣きだすべきだったのだ。そんな暗喩《あんゆ》にみちたみたいな夢を好きな男がみただけで胸を塞《ふさ》がれるが、それをそんなに真正直に、やさしい声で説明されるなんて大惨事だ。

「興味深い夢ね」

でも私は落ち着いた、どこかに笑みさえ含んだ声でそうこたえた。

「そうなんだ」

隆志は電話口で、さらに言う。

「木だと思ったら、木はなくて電飾だけで、おかしいなと思って探すんだけど、木にからみついてると思ってたその青いこまかい電飾は、いくらひっぱってもそれだけがからまっていて木がないんだ」

隆志が仕事を辞め、他の女と関係を持ち、アパートを出て行ってから半年になる。それでも無論隆志にとって「文乃《あやの》は特別な存在」なので――文乃というのが私の名前だ――、ときどきやってきて、またでていく。

隆志は健康な魂を持っている。私はそれが好きだ。でも、一人の男をちゃんと好きでいようとするのは、途方もない大仕事だ。

土曜日。私は姪《めい》を代々木に連れていかなくてはならない。姪はそこでヴァイオリンを習っており、歯科衛生士をしている私の妹――姪の母親――は、土曜日もたいてい仕事があるからだ。

私は小説を書いている。その前は無職だった。大学を中退してからの十数年、私は旅とバイトだけをくり返して生きていた。そのあいまに誰かと出会って好きになったり一緒に暮らしたり、合意のもとに別れたり、合意なしで逃げたり逃げられたりした。

水もでない臭い部屋に住んだこともあるし、その部屋さえ追いだされ、夜じゅう街を歩いたことも、一度ならずある。殴られたことも殴ったこともある。

文乃は肉体労働ができるからいいよね、と、姉は言った。肉体労働なんていつまでもできるものじゃないんだから、文乃ちゃんもそろそろちゃんと考えなよ、と、妹は言った。

何の資格もなく、短期間にあとくされなくお金を稼ぐには、肉体労働はいい方法だった。もっとも、その分野での男女の能力差は著しいので、私にできた肉体労働というのはウェイトレスとか、工事現場での車の誘導とか、中華料理のデリバリーとか、そのくらいだったのだけれど。

隆志とも旅先で出会った。ノーフォークの海辺のパブで。隆志は、大きなマグでビールをのんでいた。

私の旅は、二週間のこともあれば、八カ月のこともあった。そのときは一月《ひとつき》ほどの旅だった。小さな宿に泊りながら、グラスゴーからロンドンまで、海ぞいを列車で南下していた。

歩いた街のほとんどが淋《さび》しい風情《ふぜい》だった。曇って寒く、砂浜には海草がうちあげられていた。穴のあいた網があちこちに放置されていた。

「こんなところを目的もなく歩いているなんてどうかしている」

夕方で、風には死んだ魚の臭《にお》いがした。歩きにくい砂地を苦労して歩きながら、私は小声で文句を言った。

私の旅はいつもそんなふうだった。自分で土地を選び、自分でお金を貯《た》め、自分で一人旅をしておきながら、あっさり打ちのめされる。寒さや暑さにうんざりし、孤独を苦痛に思い、こんな場所にはもう二度と来ないぞ、と思う。

そうしてそれでいて、日本に帰っていくらもたたないうちに、私はまた旅にでたくなり、土地を選びお金を貯め、身のまわりの物だけを持って家をとびだしてしまうのだった。

ノーフォークは、パブだけは素晴らしい土地だった。たくさんあるそのどの店も暖かく小さく居心地がよく、大きなマグに注がれたこっくりしたビールを、みんな時間をかけて少しずつ少しずつ啜《すす》る。エビやマッシュルームをにんにくで炒《いた》めただけの、文句のない一皿をだしてくれる。

人がいて生活がある、その気配だけで豊かだった。

そこに隆志がいた。黒く豊かな髪は手でまぜたみたいに乱れていて、肩幅というより肩や胸の厚みが、彼に幸福で男性的な印象を与えていた。紺色のセーターにジーンズ、そこにモスグリンのスポーツコートを重ねていた。

隆志はそこに住みついているのだった。

隆志と身体《からだ》を重ねることは、私の人生で最大の驚きだった。あんなふうにらくらくとするすると、しかもぴったり重なり組み合わさるなんて。あんなふうに嬉《うれ》しいまま甘いまま、笑いながら愛《いと》おしみながらどこまでも止まらない気持ちで、窓の外で日ざしが移ろい、部屋の中がゆっくり暗くなっていくことにさえ気づかず、自分の手も足も目も唇も胴体も私とは別の生き物みたいに勝手にふるまい、もっともっともっともっとそれぞれがもう嬉々《きき》として隆志の髪や頰や首や胸や腹や腰や膝《ひざ》や腿《もも》やふくらはぎや足首や手の指や腕やなんかに触れたがり、からまりたがり、隆志の肌の芳《かんば》しい匂《にお》いや、温かさや、そこに隆志が存在しているというただそれだけのことが、ぬるいやさしい水になり日ざしになりして私にふり注ぎ、なんてすてきなんてすてきなんてすてきなんてすてき、と、ほとんど溌剌《はつらつ》といっていいような様子と心持ちで自分の身体が弾《はず》むのにも驚き、かすかな、でも愉《たの》しそうな笑い声がさっきからずっと続いている、と気づいて耳を澄まそうとして、その途端にそれが自分の喉《のど》からでたものであることを知り、今度ははっきりと声をたてて笑ってしまう。ともかくもっともっともっともっともっと、と、きりもなく貪欲《どんよく》に貪《むさぼ》るのだけれど、それはつまりもうすっかり満ちたりた状態であって、私と隆志のその行為は、あとはただ砂漠でまわり続けるスプリンクラーみたいなものなのだ。うんと豊かに。じゃんじゃん。そこらじゅうに水滴を跳ねとばしながら。

隆志と私は一緒に旅を終えた。同胞にめぐりあった、と思ったのだ。私たちは一緒に帰国してアパートを借り、一緒に暮らし始めた。

その部屋で、私はいま一人で暮らしている。

あんなに輝かしくふんだんにきりもなくあったレンアイカンジョウが、突然ぴたりとなりをひそめた。

厄介《やっかい》だったのはそのあとで、心も身体も依然としてちゃんとそこにあり、別の男と関係を持っても、それは別の何かであって隆志のかわりにはならないことだった。

他の女と寝てしまった、と隆志が私に謝ったとき、私は泣くべきだったのかもしれない。隆志が私より正直であるだけで、私たちは似た者同士なのだ。

「知ってるわ」

私は、でもかわりにそう言った。隆志は、

「やっぱりな、そうだと思った」

と言って弱く笑った。

「文乃には、なんでもわかられてしまう」

と。

私の心臓はあのとき一部分はっきり死んだと思う。さびしさのあまりねじ切れて。


姪のなつきは七歳にしてすでに近眼で、小さくて平べったいかわいらしい鼻に、すきとおったピンク色の縁の、やや大きすぎる眼鏡をのせている。

私たちの最近の気に入りは鼻と鼻をくっつける挨拶《あいさつ》で、なつきはその色の白い低い鼻を、私の鼻というよりほっぺたに、ぐいぐいとこすりつけながら笑う。

私たちは手をつないでバス停まで歩き、バスに乗って経堂《きょうどう》の駅まででてから電車に乗る。

「おはなしをして」

顔も語尾も上げ、さあどうぞ、いいわよ、とでもいうようになつきは言う。私はいつか本で読んだ「宙ぶらりんの死神」の話をしてやった。なつきは神妙に聞いていた。

何か考えているような顔をするとき、なつきのほっぺたは普段よりふくらむ。

それは、死神をすもの木の上にとどまらせ、長生きをしたおばあさんの話だ。おかげで、死にそうな病人や死にたい人々が、死ねずにいつまでも苦しんでしまう。

電車の中は暖房がききすぎていて暑く、窓の外のビルや木立ちや道や車の、寒々しい色を私はぼんやりと眺める。通過する駅のプラットフォームや、立っている人のオーバーなんかを。

「文乃ちゃんきょううちに遊びに来る？」

なつきに訊《き》かれ、

「いかない」

とこたえた。

「きょうは用事があるの。今度ね」

と。

妹に叱《しか》られるな。

窓の外を見ながら、私はぼんやりそう考える。なつきにこわい話をするのはやめて。あの子怯《おび》えてるんだから。

なつきは片手を私とつないだまま、もう一方の手で銀色の手摺《てす》りをつかみ、ドアごしに外を見ている。

私はなつきを見おろしながら、この子もいつか旅をするのかしら、と考えた。なつきは紺色のオーバーを着て、グレイのタイツをはき——タイツは足首でたるみ、わだかまっている——、黒い革靴をはいている。黒いヴァイオリンケースは、これも妹の注意を無視して網棚にのせてある。

ヴァイオリン教室はマンションの一室で、完全な個人レッスンだ。なつきは妹に教えられているとおり、脱いだ靴を逆向きにして揃《そろ》える。勝手知ったる他人の家なので、先に立って応接間に入っていき、椅子《いす》にすわった。私は別の椅子にすわり、持参した文庫本をひらく。前の人のレッスンが終るまで、ここでこうして待つきまりになっているのだ。

ブルーグレイのじゅうたんと、こげ茶とオフホワイトのストライプのカーテン。テーブルにはお湯の入った魔法瓶と紙コップ、インスタントのお茶やコーヒーが置かれている。

なつきは両手をおしりの下にはさみ、足をぶらぶらさせながら、レッスン室のドアをじっと見ている。

無論防音設備は施されているのだが、ここにいると音はかなりもれてくる。私はつい眉《まゆ》をひそめる。比較的上手《うま》い生徒なので思うさま情感が溢《あふ》れ、そのくせ微妙に音がはずれるので、率直に言って耳障《みみざわ》りだ。習い始めてまだ日の浅いなつきの方が、ずっと温かく品のいい音をだす、と、私は思う。楽器を使った会話のような、ごるぐる、とか、きゅるきゅる、とか、ぷらりら、とかの短いフレーズしか発せられないのではあるけれども。

ドアがあき、前の生徒と入れ替わりになつきが入っていく。ケースからだした、まだ新しくつやつやの、いい匂いのするヴァイオリンを抱え、最後に一度、心細そうにふり返って。

「どうして入籍しないの？」

隆志を紹介したとき、姉は不思議そうに訊いた。

「しなくても大丈夫だから」

私は誇らしさで胸をいっぱいにして、そうこたえたものだ。隣で隆志が、私の頭のてっぺんに唇をつけたことを憶《おぼ》えている。姉も姉の夫もあきれていたが、私たちは幸福だった。傍若無人で、こわいものなしだった。あるいは、何かを恐れることだけを恐れた。

私たちは、一切の策を弄《ろう》さずに愛し合いたかった。また、もしいつかどちらかが気持ちを変えたら、無条件に赦《ゆる》して手を離せると信じたかった。

私たち姉妹は祖母に育てられた。私は隆志を、祖母に会わせられなかったことを残念に思っている。

祖母は生前、年金をもらうたびに孫たちにお小遣いとして分けてくれた。

「あたしは使わないから」

と言って。

それはきまって一万円ずつで、きちんと折りたたまれ、ポチ袋に入れられていた。祖母が自分のために買うのは、メンソレータムとコールドクリームとポチ袋だけだった。

私は当時無職でお金がなかったのだけれど、祖母の一万円を使うことができなかった。それはかなしすぎた。あるいは、なにか高貴なものでありすぎた。祖母の好意はポチ袋に入れられたまま、私の机のひきだしの中にたまっていった。いまもそこにある。

私と姉と妹は年が近いこともあり、家族にまつわる記憶におそらくぶれがない。母が男と密会していた日々もそのころの母の美しさも、母の出奔《しゅっぽん》もそのあとの家の中も、いつもワイシャツの袖《そで》をまくっていた父の腕と腕時計も、お茶がらをまいてから玄関を掃く祖母のそのやり方も、祖母の部屋の匂いも鏡台の上のメンソレータムとコールドクリームも、祖母の作るお弁当はハンカチの結び目がきつく、ほどくのにいつも少し力が要ったのだったがその結び目の固さも、父の白い車もそのあとの青い車も、夏休みにたびたびでかけた海のそばの温泉地も、姉妹それぞれの入学や卒業や発熱や歯痛やヒステリーや、ともかくすべてを——好むと好まざるとに拘《かかわ》らず——三人で目撃し、通過し、記憶として所有し持ち歩いている。

姉は結婚し私は放浪し、祖母は死に妹は子供を産んだ。なつきは私たち姉妹の育ったそのおなじ家の中で、私たちの妹である彼女の母親と、私たちの父親である彼女の祖父の三人で暮らしている。

なつきのレッスンが終るのを待ちながら、私は隆志のことを考えている。

「私たち、もうじき墜落するわ」

もう笑い声も甘い言葉もどこをどう探しても絞りだせないのに、依然としてらくらくとするするとしかもぴったりと組み合わさってしまう残酷な身体同士を重ねたあと、私は隆志にそう言った。かわいた、冷淡というより無表情な声になったが、隆志は気づかないふりをして、黙って煙草《たばこ》を一本吸った。淋しくてからっぽな心持ちのくせに、まるでみちたりたみたいに深いためいきをついてしまい、ついた途端に自分の身体がほんとうにみちたりていることに気づいて私は愕然《がくぜん》とした。

私は変化に上手く対応できない。隆志も私も変化しているのに、どちらも変化を望んでいない、ということの方が重要に思える。私たちは二人とも、砂漠でまわり続けるスプリンクラーのままでいられると、らくらくと信じた。たとえば、ここはノーフォークじゃないのに。

ドアがあき、なつきが頬を上気させてでてくる。レッスンのあと、なつきはいつも頬を上気させているのだ。私は本を閉じ、なつきを両足にぶつけるようにして抱きとめる。そのとき次の生徒の頭ごしに、レッスン室の先生の視線をとらえて、会釈《えしやく》だけした。

なつきは私にヴァイオリンを持たせ、私の腰に両腕をまわして、私の太腿のあいだに顔をおしつけている。そのままの姿勢で、

「まる、いただいたよ」

と、言う。

ヴァイオリン教室のあとはピーチメルバ、と、決まっている。私たちは手をつないで原宿まで歩き、いつものフルーツパーラーに入って、それを注文する。ピーチメル

バを一つと、熱いコーヒーを一つ。

なつきは小柄な子供なので、パーラーの白い四角いテーブルが胸の高さにくる。うすいピンク色の縁の、大きすぎる鼻眼鏡。

外国を好んであちこち旅していたころ、よく墓地を散歩した。墓碑銘を読むのが好きだったのだ。自分の墓碑銘を想像したりした。

『ユキムラアヤノここに没す。強い女だったのに』

というのだ。でもほんとうは、そのときにはすでに、号泣する準備はできていた。

「なつきは泣き虫？」

私は姪《めい》に尋ねてみる。彼女はまじめな顔でそれについて考え、

「ときどきは泣く」

と、こたえた。それをいいとも悪いとも思っていない風情《ふぜい》で。

私はなんだか幸福な気持ちになる。

「もっと強くなりたいと思ったこと、ある？」

なつきはまた大まじめな顔で考え、頭が肩にくっつくほど首をかしげて、

「わかんない」

と言って犬みたいにかわいらしく甘ったれた顔で笑った。

「文乃ちゃんはつよいもんねえ」

ピーチメルバを食べながら、大人びた口調でつけたす。アイスクリームがつめたいので、寒そうな顔色になっている。私が旅先で喧嘩《けんか》をした話や、映画館で、自分の胯《こ》間《かん》に私の手を持っていこうとした奴《やつ》の顔につばを吐きかけてやった話などすると、彼女はこわそうに首をすくめて、いつもそう言って感心してくれるのだった。

私はなつきを、いつかパリに連れていきたいと思っている。パリで、きょうみたいに寒い冬の夜に、濃く熱いフィッシュスープをのませたいと思っている。海の底にいる動物たちの生命そのものみたいな味のする、さまざまな香辛料の風味のまざりあった、骨にまでじんと栄養のしみ渡るフィッシュスープだ。私はその豊かで幸福な食べ物を、隆志とは別な男に教わった。ずっと昔、私がいまよりもまだもっとずっと乱暴な娘だったころ。これを身体《からだ》に収めれば強くなれるわ、と、私はなつきに言うだろう。とてもほんとうとは思えない、と思うくらいかなしい目にあったとき、フィッシュスープをのんだことがある人は強いの。海の底にいる動物たちに護《まも》られているんだから、と。

なつきを送り届け、私は隆志との約束にまにあうように急いでアパートに帰る。駅の階段は駆け上がり、駆け下りる。

たとえばゆうべ身体を重ねた男の顔や声や、そのときうしろに流れていたリストのピアノを思いだし、同時に隆志に会いたくて堪《たま》らなくなってほとんど泣きだしそうになる。

隆志も隆志の女たちと情事を重ねているのだろう。玄関で別れるとき、なつきは私に手をふって、

「バイバイ」

と、言った。

「バイバイ、また来週ね」

と。

彼女の住む家――かつて私の住んでいた家――の門のわきには梅の木があり、郵便受けの真下には野良《のら》猫のためのエサ入れが置いてある。

かつて私の住んでいた家。

私は隆志のやさしさを呪《のろ》い誠実さを呪い、美しさを呪い特別さを呪い、弱さを呪い強さを呪った。そしてその隆志を心から愛している自分の弱さと強さを、その百倍も呪った。呪ったくせに、でも、小さななつきがいつか恋をしなくてはならないのだとすれば、なつきが強く強くなってくれることを祈った。たくさん旅をしておいしいも

のを食べ、思うさま愛されて、身体も気持ちも丈夫になってくれることを祈った。

木のない電飾の夢をみた。

大好きな男に電話口でそんなことを言われても、ちゃんと正気を保っていられるように。

そこなう

うはうはだな、と、父は言った。誕生日とかクリスマスとか、来客とか外食とか母と買物に行くとか、子供にとって嬉《うれ》しいことが重なったり続いたりすると、からかうような口調で、こりゃあみちるはうはうはだな、と。

新村《にいむら》さんは、小さく笑った。

「うはうはか。いいね」

雨が降っている。私たちは旧《ふる》い旅館の一室にいる。浴衣《ゆかた》に丹前を重ねた恰好《かっこう》で、寛《くつろ》いで。部屋の中は暗い。雛《ひな》人形のぼんぼりみたいな形をした電気スタンドが、枕元《まくらもと》にひとつあるだけだ。

「でも、それの何が恐かったの？」

新村さんは隣の部屋にいる。隣といっても襖《ふすま》は開け放してあるので、私の坐《すわ》っている布団《ふとん》の上から、立って歩けば二歩くらいの位置だ。その位置に足をくずして坐って、新村さんは赤いワインをのんでいる。ゆっくり。

「言葉」

私はこたえた。子供のころに恐かったものについて、私たちはいま話しているのだった。

「うはうはという言葉が、どういうわけか、恐かったの」

それは、なにか常軌を逸した言葉であるように思えた。父がそう口にしたあとに、強迫的な陽気さと淋《さび》しさが、声が消えても空中に漂っているように。

「すこしもらえる？」

私は言い、布団の上にぺたりと、母の言う「座敷わらし坐り」で坐ったまま片手をのばす。

「もちろん」

と言って、新村さんは私にグラスを手渡してくれる。四つんばいになって手をのばして。私はついでに軽く唇を合わせて、それをうけとる。

すこし前に、私たちは身体《からだ》を重ねた。行為のあと、すぐにお酒をのむと私はきまって酔っ払ってしまうので、時間を置いてのむように心掛けている。たぶん、新村さんのすることがすばらしすぎるからなのだろう。私は空っぽになってしまう。それで、目の前にあるものをがむしゃらに吸収してしまう。

「性懲《しょうこ》りもなく」

新村さんが言った。

「え」

私は訊《き》き返す。ワインは、新村さんの好きな上等のもので、でもいつものように、私の舌にはカビくさい余韻を残す。

「性懲りもなく、という言葉が恐かったな、俺は。なんとなくだけど」

私はそれについて考え、正直だ、と思ったので微笑《ほほえ》んだ。

「性《しょう》がつくものはたいてい嫌な感じだった」

新村さんは続ける。

「性悪とか、性根とか」

「そうね。わかるわ」

微笑んだばかりなのに、私は自分の両目から、涙がとてもだらしない具合にだらだら零《こぼ》れるのを感じる。困って、拭《ぬぐ》った。

きょうはとても悲しい日だったのだ。

洟《はな》をすすり、いそいで笑った。

「昔住んでいた家のそばにね」

あかるい調子で言ってみたが、声はおもいきり湿っている。

「だらしのない女の人が住んでいたの」

だらしがないというわけではなかったのかもしれない。三十代半ばくらいだっただろうか。一軒家に、二匹の室内犬と一緒に一人で住んでいた。然《さ》る実業家の愛人だという噂《うわさ》だった。彼女は一日のほとんどをネグリジェ姿で過ごしているようだった。頭にカーラーとネットをくっつけていることもあった。そのままの恰好で、平気でゴミを捨てにでた。門のまわりを掃いていることもあった。

近所の女の人たちは、私の母も含め、みんな彼女を嫌っていた。だらしのない女だと言い合っていた。私にはそれが恐かったのだが、それというのが陰口なのか、ネグリジェの女なのか、自分の母親なのか、わからない。わからないというより、上手《うま》く区別がつけられないのだ。

雨はまだ降り続いている。窓はすべて閉《た》てきってあるのに、さわさわという細かい音が、まるで耳元で囁《ささや》くみたいにふいに近くきこえる。私の坐っている布団は、その音に濡《ぬ》れたみたいに湿り気を増していく。

「いろんなものが恐かったんだな」

私の話を黙って最後まで聞いて、新村さんは言った。

そのとおりだ。年齢がひと桁《けた》だったころは、人間が恐ろしいものだと知っていた。たとえ肉親でも、自分以外の人間の心の中は深い闇《やみ》だとちゃんと知っていたのだ。

「もう、眠った方がいいみたい」

また泣きだしたので、私は言い、ワイングラスを新村さんに返した。唇を合わせることはしなかった。悲しくて、それどころではなかったのだ。新村さんは、うけとったグラスを見もせずに片手で畳の上に置きながら、反対の手で私の頭をひきよせて強引に唇を合わせてきた。後頭部に添えられた手のひら。でも、次の瞬間には私はあごをそっとつかまれ、二本の指で頬を押さえられて口をあけている。舌がすべり込んでくる。力強い舌だ。それは私の知っている舌というものの形と、似ても似つかないものであるように思える。あたたかく乾いた手のひらが、いつのまにか私の胸をゆっくりと包み、持ち上げたり、押しつぶしたりしている。はじめは片方、やがて両方。私はもう丹前を着ていないらしい。帯もとかれている。新村さんは、千手観音みたいなのだ。

きのう、私たちはここに来た。東京をでたときはまぶしいばかりに晴れていて、空まで私たちの前途を——旅のではなく、これからの人生の——祝福してくれていると思えた。電車はすいていて、四つの座席を使って向い合ってお弁当を食べた。カラごと甘辛く焼いたエビだとか、かちかちに煮しまった鰆《さわら》だとか。そんなお弁当を買ってしまうということ自体、私たちが幸福なしるしだった。

旅館の人たちは、おそらく私たちを一目見て、いわゆる不倫のカップルだと思ったことだろう。番頭さんに荷物を持ってもらって部屋に案内されながら、私にははっきりと、そのことが感じとれた。実際には、私たちはどちらも独身の恋人同士だ。ながくながく待った新村さんの離婚が、やっと成立したところだから。

ほんとうに、私たちはながく待った。はじめて会ったとき、私は二十三で、新村さんは三十六だった。それから十五年が経《た》っている。

「一緒に暮らしたり、できるの？」

新村さんの離婚が成立してからもう百回も訊いたことを、また私は訊いた。

「できるさ」

新村さんは請け合った。

「なんだって、できる」

何度聞いても信じられなかった。信じられなくても、聞きたかった。うはうはだな。

父が見たら、おそらくそう言ったことだろう。みちるはうはうはだな。そして、もちろんそのとおりだった。その言葉は好まないが、私は嬉しくて、嬉しくて嬉しくて嬉しくて、人生が突然恐くなった。目を持たずに生きてきたのに、いきなり目を入れられて、棚の上から世界を自分で見ることになる、埃《ほこり》だらけの願いごとのだるまみたいに。

私たちは夕方の温泉街を散歩した。なにしろ嬉しかったので、私は意味もなく駆けだしたり、戻って新村さんと手をつないだり、ふいに照れくさくなって手をはなしたり、した。

水量の貧弱な川が流れていた。川には橋がかかっていて、そこからうす水色の空が見えた。定休日なのか内側からカーテンを引かれた、自転車屋さんのガラス戸も。風が私たちをやさしくなぶった。

「みちる」

名を呼ばれ、ふり向くと唇が重なった。

旅館に戻り、大浴場に行った。男湯と女湯は別れていて、以前ならそれすらも淋しかったがいまは平気だと、私は思った。マッサージ椅子《いす》のある場所で落ち合って、一緒に部屋に戻った。

夕食のあと身体を重ね、今度は部屋についている小さな露天風呂《ぶろ》に、二人で入った。風呂の湯は熱く、夜のなかで黒々として見えた。うしろからぴったりと私を抱く恰好で、新村さんは湯に身体を沈めた。浮力と重力のあいだで、肌と肌がくすくす笑いをしているようだった。

「ゆめみたい」

じんわりと顔に汗をかきながら、具合のいい椅子みたいな新村さんの身体にもたれかかって私は言った。

「とてもほんとうとは思えないわ」

それでいて私は淋しさに包囲されていた。淋しさは夜気そのものとなって私をひやし、どこまでもひろがっていた。現実として。

新村さんが先にあがった。すぐ行くわ、と言って、私はもうすこし露天風呂に残った。一人で。どうしてだか、新村さんを失いそうな気がした。あるいはすでに失っているような気がした。心臓が凍りつくような、それは恐怖だった。

目の前に低木の植込みがあった。植込みもお湯とおなじように黒々として見えた。コンクリを流して固められた地面も、黒々と濡れていた。月も星もなく、雲のかたちだけがぼんやりと見てとれる夜空も、頭の上に黒々とつめたくひろがっていた。

いつか妻と別れたら、と、新村さんは何度か口にしたことがある。でも、いまになってわかるのだが、私はそれを信じていなかったのだ。ちっとも。信じるのは恐すぎたから。

あれほど信じたかったのに。そして、闇雲に信じているつもりだったのに。

「朗《ろう》くん」

私はべつな男の名前を呼んだ。自分の耳にさえ頼りなく、心細くきこえる声になった。

朗くんは、五年くらい、私がなんとなくつきあってきたボーイフレンドだ。新村さんに飽きたらいつでも俺に乗り換えていいよ、と言ってくれた。もちろんそんなことはあり得ないので、朗くんがそう言ってくれるたびに、あり得ない、と私は断言してきた。あなたは私の歯止めにすぎないのだから、と。

私は新村さんが大好きなのだ。新村さん以外の人間は、男の人に思えないのだ。新村さんだけが私のいのちで人生で、ラブですべてなのだ。それだけは神様に誓える。いつでも。胸をはって。

これ以上新村さんを好きになってしまわないように、私は細心の注意を払ってこなくてはならなかった。

どうでもいいことだけれど、歯止めは朗くんだけじゃなかった。猛々《たけだけ》しいほどの不安が押しよせて、私は逃げるように風呂からあがった。

部屋のなかは煌々《こうこう》とあかるかった。しぼったヴォリウムでテレビがついていて、新村さんは座椅子でビールをのんでいた。私は、ほんの一瞬でも朗くんに会いたいと思った自分が呪《のろ》わしかった。

「私たち、うまくいかないと思うの」

気がつくと、立ったまま、のっぴきならない調子でそう言っていた。

「いままでの方がよかった。きっと新村さんは私を嫌いになるわ。私にはもう歯止めがないんだもの」

新村さんは、びっくりした顔で私を見た。

「僕にももう歯止めはない」

それからそう言って弱く笑って、私の分もビールをコップについでくれた。

「ちがうの」

私はたぶん動転していたのだ。そうとしか思えない。混乱し、動転し、そして怯《おび》えていた。

「歯止めっていうのは、新村さんが結婚していたことじゃないの」

私は朗くんとの関係をかいつまんで話した（他の歯止めのことは話さなかった。話がややこしくなるし、大同小異だと思ったからだ）。

「五年、つきあってるの。来週も会うことになってる。新村さんの存在は知ってるし、もう会わないことにするけど、でも、さっき朗くんに会いたいと思ったわ」

新村さんのこわばった表情は一分も続かなかったと思う。でも無論、それで十分だった。新村さんはびっくりし、傷ついていた。

「仕方ないよ」

なにかが決定的にそこなわれてしまったのはその瞬間だった。新村さんが淋しそうに微笑んで、仕方ないよ、と言った瞬間。

「だって僕らはほら、随分ながいこと不安定な状態でつきあってきたわけだし、みちるにそういう人がいても、それは仕方ないさ」

かなしかった。朗くんのことなど話さなければよかったと思ったが、あとの祭だった。

「心配しなくていい」

深くてやさしい、私の大好きな声で新村さんは言い、でも私は赦《ゆる》されたことが赦せなかった。

「どうしてそんなに簡単に赦せるの？」

それでそう訊いた。

「私たちはべたべたに愛し合っていたでしょう？　もう滅茶苦茶に愛し合っていて、お互いしか見えなくて、歯止めがきかないからこういうことになったはずでしょう？」

私は泣きだしていたが、新村さんは依然として淋しそうに微笑んだままだった。

「おいで」

私を抱きよせて膝《ひざ》に坐《すわ》らせた。

「僕らはべたべたに愛し合っている。もう滅茶苦茶で、お互いしか見えない。いままでもそうだったし、これからもそうだ。でもみちるには朗くんという存在がいた。僕にもそういう女性が、妻以外にってことだけど、いたようにね。いいからじっとして」

じっとして、と言われてもできなかった。新村さんの腕をふりほどいて、離れた。

「妻以外に？」

まの抜けた声になった。

「妻以外に」

新村さんは首をすくめ、おなじ言葉を私に返した。

「嘘《うそ》でしょう？」

「嘘じゃない。でも、離婚届に判が揃《そろ》ったとき、みちる以外の女のことは思い浮かばなかった。もちろんまっさきにみちるに知らせた。実際、他の女にはまだ伝えてもいない」

言葉がでてこなかった。まっさきにみちるに知らせた？　聞き間違いであることを、私は祈った。

「みちる？」

何かがひどく間違っている。でも一体何がいけないというのだろう。新村さんは、離婚をまっさきに私に知らせてくれた。それのどこがいけないのだろう。

私たちは二人で、離婚を達成した、と思っていた。

「もう全部おわったから」

まじめな顔で、新村さんは言った。

「これからはずっと一緒だから」

その言葉は、それでも私を幸福にした。私の意に反して。

「ひどい」

私は言った。新村さんに、他に女がいたなんて信じられなかった。根底から覆《くつがえ》ってしまった。

私たちはながくながくながくながく待った。架空のものを信じて、現実と折り合いをつけながら、ながくながくながく待った。私には、新村さんがおなじことを考えていることがわかった。私にとっては新村さんがすべてだと、新村さんは信じてくれていたはずだ。

「こわい」

私は言い、自分のことをまた、願いごとのだるまみたいだと思った。両目が揃っても、動くことができない。だって棚の上にいるのだ。そう思うと可笑《おか》しくなってすこし笑った。いずれにしても、私たちはここから始めなくてはならない。

目がさめると雨が降っていた。絶望的だった。隣にいる新村さんが独身だと思うとそれでもどうしても嬉しかったが、同時に私には、何もかもがもう決して元通りにならないことがわかっていた。そこなわれたことが。

朝食のあと、タクシーを呼んでもらって近くの美術館に行った。そこのカフェで昼食を摂《と》り、またタクシーで旅館に戻った。きのうの橋から、濡《ぬ》れそぼった自転車屋が見えた。もうゆめのようではなかった。かなしみだけがそこにはあった。

あとはきのうとおなじことをした。大浴場に行き、夕食をとり、身体を合わせた。

きのうよりも言葉少なに、でも、きのうよりも激しく。新村さんは赤い上等のワインをあけ、私は子供のころに恐かったものの話を始めた。

雨は降り止まず、ワインはカビくさい味がした。新村さんは千手観音みたいになって、私は身体じゅうが反っくり返った。新村さんを好きだとしか思えなかった。他のことはいまやどうでもいいと思おうとした。ここから始めるのだからと。

新村さんは寝息をたてている。私はまた泣き始める。隣にいるのは私の知っている新村さんではなくなっていたから。私はもう二度と彼に会えないだろう。

だらしのない女、と母が言うのが聞こえる気がした。うはうはだな、と父が言うのも。

裸のままの新村さんの手をとってそこに口づけし、寝たまましずかに指をからめた。

あとがき――号泣する準備

短篇集、といっても様々なお菓子の詰め合わされた箱のようなものではなく、ひと袋のドロップという感じです。色や味は違っていても、成分はおなじで、大きさもまるさもだいたいおなじ、という風なつもりです。

いろんな人たちが、いろんな場所で、いろんな記憶を持ち、いろんな顔で、いろんな仕種で、でもたぶんあいも変らないことを営々としている。

「私は人間のひとりひとりが、意志通りに、大きな仕種で、自分の人生を描くのだと思うわ。鮮やかな、決定的な方法で」

と書いたのはフランソワーズ・サガンですが、人々が物事に対処するその仕方は、つねにこの世で初めてであり一度きりであるために、びっくりするほどシリアスで劇的です。

たとえば悲しみを通過するとき、それがどんなにふいうちの悲しみであろうと、その人には、たぶん、号泣する準備ができていた。喪失するためには所有が必要で、すくなくとも確かにここにあったと疑いもなく思える心持ちが必要です。

そして、それは確かにそこにあったのだと思う。
かつてあった物たちと、そのあともあり続けなければならない物たちの、短篇集になっているといいです。

二〇〇三年晩秋

江國香織

解説

光野桃

江國香織さんの小説は、読む、というより食べる、という感じだ。その味わいは一見、銀の皿に盛られた青いイチヂクとか、硬く焼いたジンジャービスケットとか、あるいは秋の午後のオレンジティーのように思われがちだが、実は違う。江國さんの小説は肉食だ。濃密な葡萄酒《ぶどうしゅ》で煮込まれた肉。それを手掴《てづか》みで食べる。指の先までしっかり舐《な》める。口の周りがべたべたしても構わない。そして、それらはすぐに体の中に流れ始める。小説の血液が流れてしまったらもう、読者としての距離をとることができない。自分のせつなさや怒りやあきらめや、官能までもが、こんなにもはっきりと形を与えられ、目の前に差し出されているのはなぜだろうと、半分いぶかしく思いながらも、離れる事ができない。

たとえば「溝」の裕樹《ひろき》は、離婚すると言う妻との結論を出せぬまま、夫婦で出かけた実家で麻雀《マージャン》をし、母親の作った中華料理を食べ、赤ん坊を抱えた妹と会話する。今までと何ら変わらぬ家族団らんの光景のようでいて、それはまったく違っている。「ふいに居心地の悪さを感じ」、両親と妹の三人に見送られて帰るとき、「飛び石の途中で振り返った裕樹は、見送っている三人を寄る辺のない三人の子供のように」感じるのだ。

これは私だ、と思う。

家に帰りつくと、妻の志保《しほ》は、あなたに贈り物があるという。車のトランクを開けると、向かいの家のベランダに干してあったウェットスーツが入っている。身の毛もよだつ恐ろしさ。だが、それも私だ。

それから「こまつま」の美代子《みよこ》である。

小松菜かと思ったら、こまこまと働く妻だから「こまつま」。そんなふうに妻を呼ぶ夫、挙句に子どもたちまで「こまはは」だって!?　ばかやろう。でも、美代子はそんな下品なことは言わず、背筋を伸ばし、傲然《ごうぜん》と顎《あご》を上げてデパートの中を巡る。ああ、デパート。そこだけが美代子のプライドのよりどころなのか。

夫や子どもたちのものを買い、食品売り場であれこれ物色する彼女は、ただのオバサンに思える。が、美代子の手首には、きゃしゃなアンティーク時計が巻かれている。美代子の外見についてはこの一点しか書かれていないのに、それだけで彼女がどんな女か、一瞬にしてわかってしまう。表情の乏《とぼ》しくなったその瞳《ひとみ》も、中途半端《はんぱ》に流行遅れのスカート丈も、まだ細くてきれいなのに、誰にも触れられないまま柔らかくしぼんだふくらはぎの形さえ、鮮やかに立ち上がってくる。

鮮度を失った女。その傷をプライドに変えて、何もないかのように日々を生きている女。過去の恋の時間だけを糧《かて》に、若かったときの自分の幻影だけを心のよりどころにしているなんて。

私は美代子を憎み、また、いとおしむ。

なぜ結婚は、ひとからなにかを奪うのだろう。愛の結実として結婚を選んだはずなのに、指の間からこぼれ落ちる砂のように、気がつくと失われたものの残骸《ざんがい》だけが残っている。その苦さを嚙《か》み締《し》めながら、それでもなんとか日々をやり過ごし、生きていかなければならない。年に一度、夫の母親とともに旅行をする「洋一《よういち》も来られればよかったのにね」の、なつめのように。

――あしたになれば、また静子と風呂《ふろ》につからなければならない。日のあたる畳の上で、化粧をしていない顔をつきあわせ、一緒に朝食をとる。静子はきっと、「お庭の散策」をしたいと言いだすだろう。なつめには、それは目に見えるように想像ができた。自分と静子は、きっとそれを上手《うま》くこなすだろう。色の変り始めた木々の下の道を抜け、ステレオからちぐはぐな音楽を流しながら車を走らせるだろう。途中でまた休憩をとり、静子はトイレにいくだろう。東京にさしかかると道が混み始めるかもしれない。のろのろと車を進め、なつめはガムをかみすぎて顎が疲れているだろう。静子は居眠りをするだろう。そのすべてを、自分たちはきちんきちんとこなすはずだ。

――

「溝」から「こまつま」「洋一も来られればよかったのにね」と、たたみかけられるように語られる世界は、かつての江國香織の小説とは少し違っている。女たちはきらめく瞳も卓越した感受性も、紺色のピーコートも持っていない。平凡で灰色で倦《う》んでいる。失われたものは重く、救いがたい。

しかしそれでも、彼女たちはやっぱり江國香織の女なのだ。なぜなら、本能で生きているから。

ここに登場する女たちは、だれひとりとして上手くたちまわろうとしない。保険をかけておく小狡《こずる》さもない。ころんですりむいた膝《ひざ》に手当てをしながら、また同じところにこぶを作ってしまうかもしれなくても、本能に忠実に生きようとする。本能を信じる力がある。そしてそういう生き方につきものの孤独を、真正面から引き受けている。

江國香織の女は、「引き受ける」女だ。本能は決して垂れ流さない。始末をきっちりつけようとする。だからより痛みは増すのだろうけれど、彼女たちは歩き続ける。「人生は恋愛の敵よ」と笑いながら、「男も女も犬も子供もいる」人生というもののなかに、深呼吸して戻っていく。もう、「どこでもない場所」なんて存在しないとわかっているから、目の前のシャンペンを「かぱりと」干《ほ》す。そして、少しでも前進しようと静かに奮闘する。

ずいぶん遠くに来てしまったと感じながらも、もうどこにも戻る事ができないと知りながらも、それでも「私はかつて愛した男をいまも愛している。かつて愛した男と共に生きていたころの自分のまま、暮らしていたいと思っている。それを孤独と呼ぶのなら、孤独万歳、と、言いたい」(「手」)と。

年をとろうがなにを失おうが、彼女たちの血はひっそりと燃えさかっていて、消して消えることはない。多分死ぬまで、懲《こ》りずに、そう生きるだろう。たとえいつか号泣するとわかっていても。

私はこの短編集をどんどん食べた。もっともっとと思いながら、一気に食べてしまった。

皿の中の余白も食べた。いままでの中で一番余白の部分が多いような気もする。語られない時間の空疎《くうそ》さや、かわされたであろう会話のざらつきや、涙や闇《やみ》も、それらの質感を舌の上で確認した。食べながら、体の中心がすっぽり抜け落ちてしまうような感覚に襲われたり、やるせない怒りがこみ上げたり、ふふふと一人で笑ったりした。ぼんやり窓の外を眺めて、長い時間、手を止めていたこともある。おかわりも三回した。もっと余白をたっぷり味わいたかったから、三度目にはゆっくり食べた。

そうしてすべてを味わいつくしたあと、やってきたものは、不思議なきれいさだった。全身がきれいなものに包まれていた。皿を片付けて、口のまわりをぬぐい、指先をすっかり洗っても、そのきれいさは何日間も続いた。自分がほっそりした女の人になったような気もした。知らず知らず、珈琲《コーヒー》カップを持つ手つきまで変わっている。

これはいったい……と思い、そして気がついた。

これが江國さんの小説なのだ。五感に魔法をかけられてしまう。生きる力が蘇生《そせい》する。高潔な女たちの、その熱さに寄り添われながら。

嘘《うそ》のない人生を歩いていこうと思う。

江國さん、ありがとう。

（二〇〇六年五月、作家）

この作品は平成十五年十一月新潮社より刊行された。

江國香織著

きらきらひかる

二人は全てを許し合って結婚した、筈だった……。妻はアル中、夫はホモ。セックスレスの奇妙な新婚夫婦を軸に描く、素敵な愛の物語。

江國香織著

こうばしい日々

坪田譲治文学賞受賞

恋に遊びに、ぼくはけっこう忙しい。11歳の男の子の日常を綴った表題作など、ピュアで素敵なボーイズ&ガールズを描く中編二編。

江國香織著

つめたいよるに

愛犬の死の翌日、一人の少年と巡り合った女の子の不思議な一日を描く「デューク」、デビュー作「桃子」など、21編を収録した短編集。

江國香織著

ホリー・ガーデン

果歩と静枝は幼なじみ。二人はいつも一緒だった。30歳を目前にしたいまでも……。対照的な女性二人が織りなす、心洗われる長編小説。

江國香織著

流しのしたの骨

夜の散歩が習慣の19歳の私と、タイプの違う二人の姉、小さな弟、家族想いの両親。少し奇妙な家族の半年を描く、静かで心地よい物語。

江國香織著

すいかの匂い

バニラアイスの木べらの味、おはじきの音、すいかの匂い。無防備に心に織りこまれてしまった事ども。11人の少女の、夏の記憶の物語。

江國香織著

雨はコーラがのめない

雨と私は、よく一緒に音楽を聴いて、二人だけのみちたりた時間を過ごす。愛犬と音楽に彩られた人気作家の日常を綴るエッセイ集。

江國香織著

ぼくの小鳥ちゃん

路傍の石文学賞受賞

雪の朝、ぼくの部屋に小鳥ちゃんが舞いこんだ。ぼくの彼女をちょっと意識している小鳥ちゃん。少し切なくて幸福な、冬の日々の物語。

江國香織著

神様のボート

消えたパパを待って、あたしとママはずっと旅がらす…。恋愛の静かな狂気に囚われた母と、その傍らで成長していく娘の遥かな物語。

江國香織著

すみれの花の砂糖づけ

大人になって得た自由とよろこび。けれど少女の頃と変わらぬ孤独とかなしみ。言葉によって勇ましく軽やかな、著者の初の詩集。

江國香織著

東京タワー

恋はするものじゃなくて、おちるもの——。いつか、きっと、突然に……。東京タワーが見える街で繰り広げられる狂おしい恋愛模様。

江國香織著

ぬるい眠り

恋人と別れた痛手に押し潰されそうだった。大学の夏休み、雛子は終わった恋を埋葬した。表題作など全9編を収録した文庫オリジナル。

新潮文庫最新刊

石田衣良著
清く貧しく美しく
30歳・ネット通販の巨大倉庫で働く堅志と28歳・スーパーのパート勤務の日菜子。非正規カップルの不器用だけどやさしい恋の行方は。

山本文緒著
自転しながら公転する
中央公論文芸賞・島清恋愛文学賞受賞
恋愛、仕事、家族のこと。全部がんばるなんて私には無理！　ぐるぐる思い悩む都がたどり着いた答えは——。共感度100％の傑作長編。

瀬名秀明著
ポロック生命体
人工知能が傑作絵画を描いたらどうなるか？　最先端の科学知識を背景に、生命と知性の根源を問い、近未来を幻視する特異な短編集。

望月諒子著
殺人者
相次ぐ猟奇殺人。警察に先んじ「謎の女」へと迫る木部美智子を待っていたのは!?　承認欲求、毒親など心の闇を描く傑作ミステリー。

遠田潤子著
銀花の蔵
私がこの醤油蔵を継ぐ——過酷な宿命に悩みながら家業に身を捧げ、自らの家族を築こうとする銀花。直木賞候補となった感動作。

伊藤比呂美著
道行きや
熊日文学賞受賞
夫を看取り、二十数年ぶりに帰国。〝老婆の浦島〟は、熊本で犬と自然を謳歌し、早稲田で若者と対話する——果てのない人生の旅路。

号泣《ごうきゅう》する準備《じゅんび》はできていた

新潮文庫　え－10－12

平成十八年七月一日発行
令和四年十一月十五日二十七刷

著者　江《え》國《くに》香《か》織《おり》
発行者　佐藤隆信
発行所　株式会社新潮社
郵便番号　一六二―八七一一
東京都新宿区矢来町七一
電話編集部(〇三)三二六六―五四四〇
読者係(〇三)三二六六―五一一一
http://www.shinchosha.co.jp

価格はカバーに表示してあります。

乱丁・落丁本は、ご面倒ですが小社読者係宛ご送付ください。送料小社負担にてお取替えいたします。

印刷・凸版印刷株式会社　製本・加藤製本株式会社

ISBN978-4-10-133922-1 C0193